A-Z CRO...

G000153505

CONTENTS

Key to Map Pages	2-3
Map Pages	4-27
Croydon Town Centre (Large Scale)	28

Ind...
Ar... ...d Places
of Interest

REFERENCE

A Road	A23
B Road	B269
Dual Carriageway	
One-way Street Traffic flow on A roads is indicated by a heavy line on the drivers' left.	
Large Scale Page Only	
Junction Names	PURLEY CROSS
Restricted Access	
Pedestrianized Road	
Track & Footpath	
Residential Walkway	
Railway Stations:	Tunnel / Level Crossing
National Rail Network	
Underground Station	is the registered trade mark of Transport for London
Croydon Tramlink The boarding of Tramlink trams at stops may be limited to a single direction, indicated by the arrow.	Tunnel Stop
Built-up Area	BOND RD
Local Authority Boundary	
Postcode Boundary	
Map Continuation	12 / Large Scale Town Centre 28

Car Park (selected) (on Large Scale Page only)	P
Church or Chapel	†
Fire Station	■
Hospital	H
House Numbers (A & B Roads only)	2 33
Information Centre	i
National Grid Reference	530
Police Station	▲
Post Office	★
Toilet (on Large Scale Page only)	▽
with Facilities for the Disabled	♿
Educational Establishment	▭
Hospital or Hospice	▭
Industrial Building	▭
Leisure or Recreational Facility	▭
Place of Interest	▭
Public Building	▭
Shopping Centre or Market	▭
Other Selected Buildings	▭

SCALE

Map Pages 4-27	Map Page 28
1:19000 3.33 inches to 1 mile	1:9500 6.67 inches to 1 mile
0 ¼ ½ Mile	0 ⅛ ¼ Mile
0 250 500 750 Metres	0 100 200 300 Metres
5.26cm to 1km 8.47cm to 1 mile	10.53 cm to 1km 16.94 cm to 1 mile

Geographers' A-Z Map Company Limited

Head Office :
Fairfield Road, Borough Green, Sevenoaks, Kent TN15 8PP
Tel: 01732 781000 (General Enquiries & Trade Sales)
Showrooms :
44 Gray's Inn Road, London WC1X 8HX
Tel: 020 7440 9500 (Retail Sales)
www.a-zmaps.co.uk

Ordnance Survey® This product includes mapping data licensed from Ordnance Survey® with the permission of the Controller of Her Majesty's Stationery Office.
© Crown Copyright 2001. Licence number 100017302
EDITION 3 2001   EDITION 3A 2002 (Part revision)
Copyright © Geographers' A-Z Map Co. Ltd. 2001

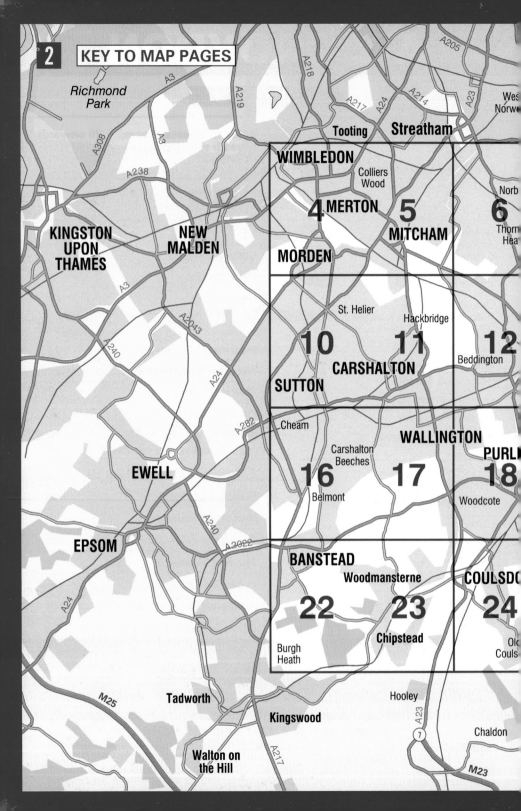

KEY TO MAP PAGES

Richmond Park

Tooting Streatham

Wes
Norw

WIMBLEDON

Colliers
Wood

Norb

4 MERTON **5** **6**

MITCHAM Thorn
Hea

KINGSTON
UPON
THAMES

NEW
MALDEN

MORDEN

St. Helier

Hackbridge

10 **11** **12**

CARSHALTON Beddington

SUTTON

Cheam

WALLINGTON

Carshalton
Beeches

PURL

EWELL

16 **17** **18**

Belmont Woodcote

EPSOM

A2022

BANSTEAD

Woodmansterne

COULSD

22 **23** **24**

Burgh
Heath

Chipstead

Ol
Couls

Tadworth

Hooley

Chaldon

Kingswood

Walton on
the Hill

M23

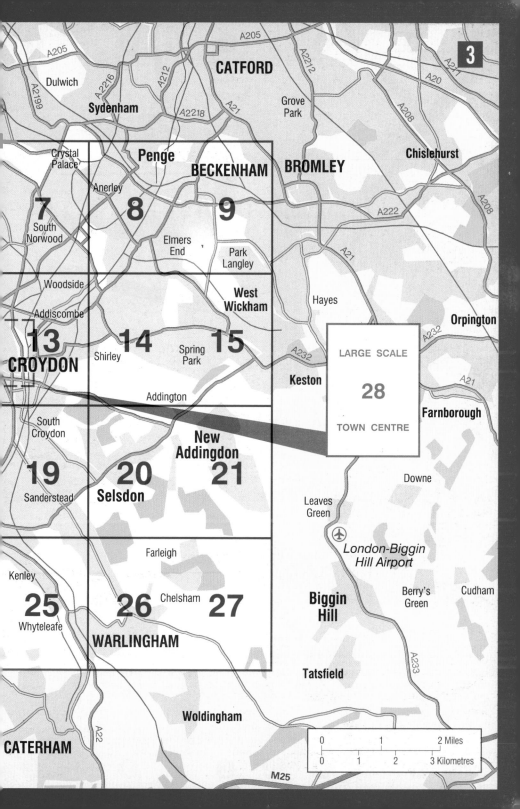

3

A205 · Dulwich · Sydenham · A2216 · A2199 · A212 · A2218 · A21 · CATFORD · A205 · A2212 · Grove Park · A20 · A208 · Chislehurst · A201

Crystal Palace · Penge · BECKENHAM · BROMLEY · A222 · A21 · A208

Anerley

7
South Norwood

8

9

Elmers End · Park Langley

Woodside · West Wickham · Hayes · Orpington

Addiscombe

13
CROYDON · Shirley · **14** · Spring Park · **15** · A232 · Keston · A232

LARGE SCALE

28

TOWN CENTRE

Farnborough · A21 · A232

Addington

South Croydon · **New Addingdon**

19
Sanderstead · **20** · **21** · Downe

Selsdon

Leaves Green

London-Biggin Hill Airport

Farleigh

Kenley · Chelsham · Berry's Green · Cudham

25
Whyteleafe · **26** · **27** · **Biggin Hill**

WARLINGHAM

Tatsfield · A233

CATERHAM · A22 · Woldingham

M25

0		1		2 Miles
0	1	2		3 Kilometres

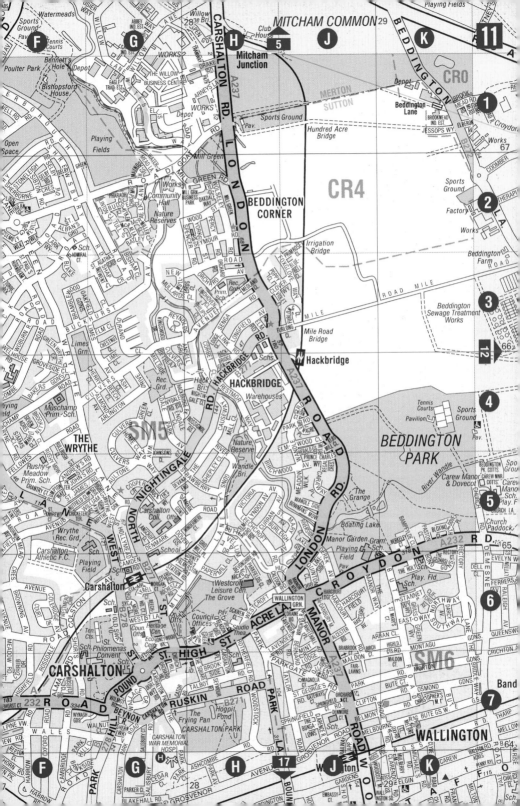

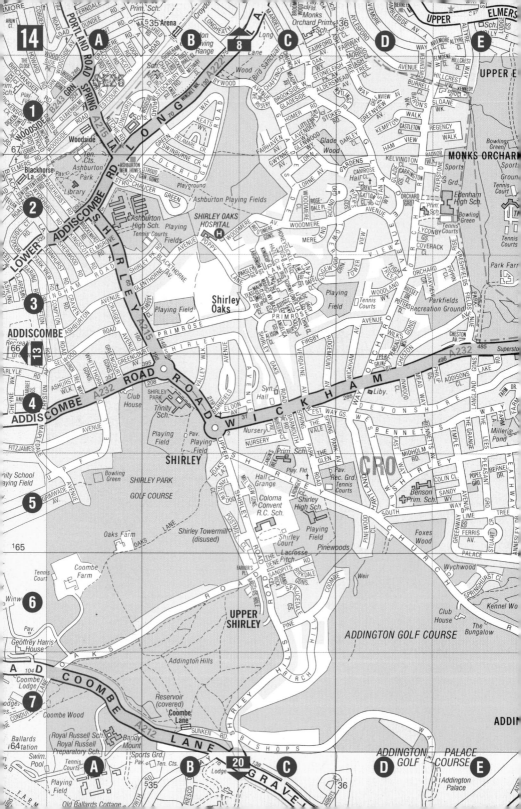

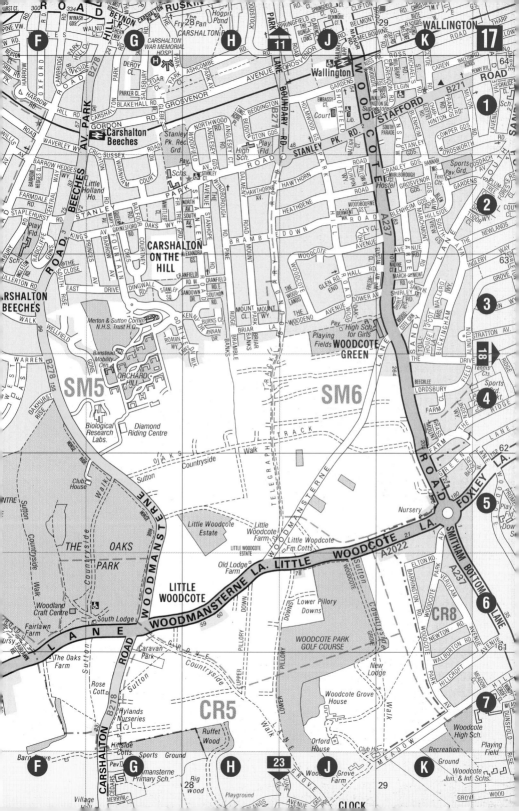

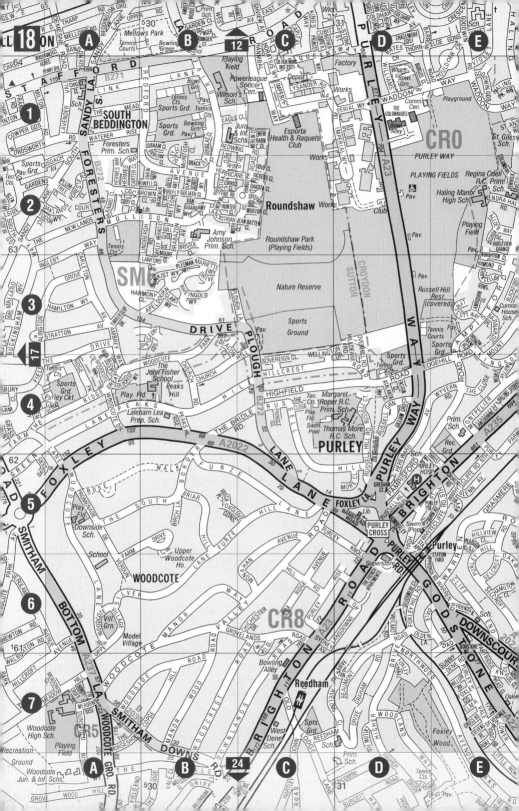

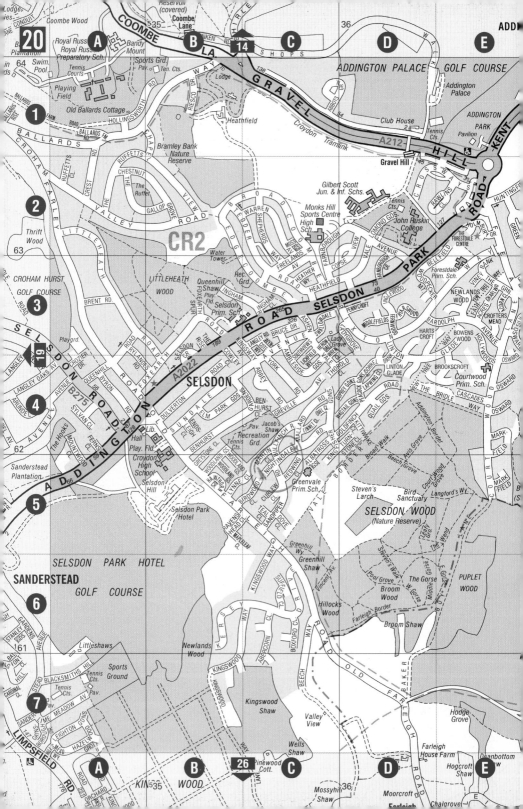

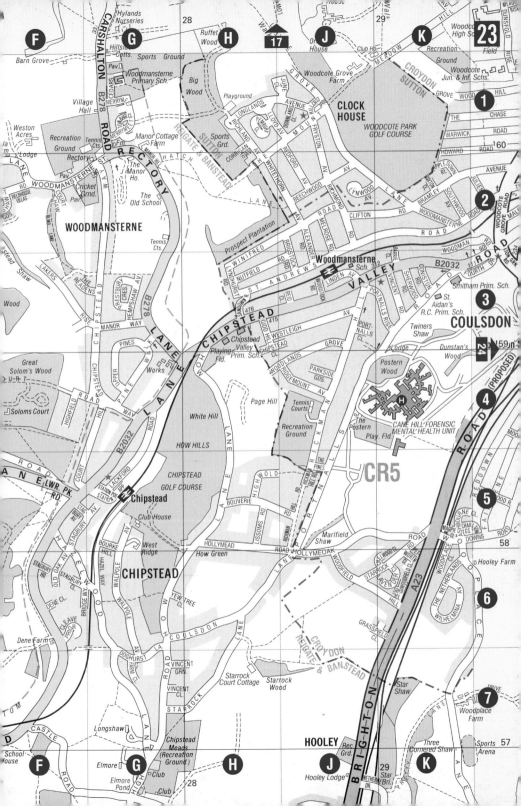

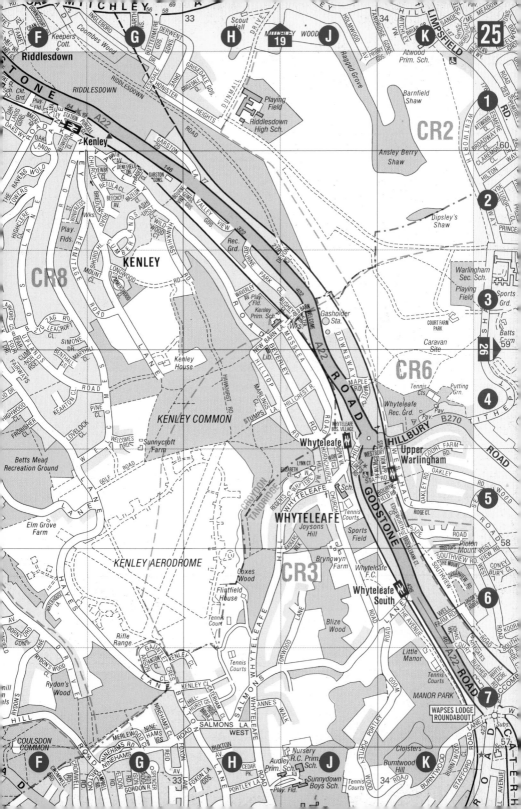

INDEX

Including Streets, Places & Areas, Hospitals & Hospices, Industrial Estates,
Selected Flats & Walkways, Junction Names and Selected Places of Interest.

HOW TO USE THIS INDEX

1. Each street name is followed by its Postal District (or, if outside the London Postal District, by its Posttown or Postal Locality), and then by its map reference; e.g. Abbey Pk. *Beck* ....2F **9** is in the Beckenham Posttown and is to be found in square 2F on page **9**. The page number being shown in bold type.

2. A strict alphabetical order is followed in which Av., Rd., St., etc. (though abbreviated) are read in full and as part of the street name; e.g. Allendale Clo. appears after Allen Clo. but before Allen Rd.

3. Streets and a selection of flats and walkways too small to be shown on the maps, appear in the index in *Italics* with the thoroughfare to which it is connected shown in brackets; e.g. *Abbey Pde. SW19* ....2D **4** *(off Merton High St.)*

4. Places and areas are shown in the index in blue type and the map reference is to the actual map square in which the town centre or area is located and not to the place name shown on the map; e.g. Banstead 2B **22**

5. An example of a selected place of interest is Ashcroft Theatre 5G **13** (4D **28**)

6. An example of a hospital or hospice is BECKENHAM HOSPITAL 4E **8**

7. Junction names are shown in the index in **bold type**; e.g. **Colliers Wood. (Junct.)** 2E **4**

8. Map references shown in brackets; e.g. Abbey Rd. *Croy* ....5E **12** (4A **28**) refer to entries that also appear on the large scale page **28**.

GENERAL ABBREVIATIONS

All : Alley	Ct : Court	Lit : Little	Rd : Road
App : Approach	Cres : Crescent	Lwr : Lower	Shop : Shopping
Arc : Arcade	Cft : Croft	Mc : Mac	S : South
Av : Avenue	Dri : Drive	Mnr : Manor	Sq : Square
Bk : Back	E : East	Mans : Mansions	Sta : Station
Boulevd : Boulevard	Embkmt : Embankment	Mkt : Market	St : Street
Bri : Bridge	Est : Estate	Mdw : Meadow	Ter : Terrace
B'way : Broadway	Fld : Field	M : Mews	Trad : Trading
Bldgs : Buildings	Gdns : Gardens	Mt : Mount	Up : Upper
Bus : Business	Gth : Garth	Mus : Museum	Va : Vale
Cvn : Caravan	Ga : Gate	N : North	Vw : View
Cen : Centre	Gt : Great	Pal : Palace	Vs : Villas
Chu : Church	Grn : Green	Pde : Parade	Vis : Visitors
Chyd : Churchyard	Gro : Grove	Pk : Park	Wlk : Walk
Circ : Circle	Ho : House	Pas : Passage	W : West
Cir : Circus	Ind : Industrial	Pl : Place	Yd : Yard
Clo : Close	Info : Information	Quad : Quadrant	
Comn : Common	Junct : Junction	Res : Residential	
Cotts : Cottages	La : Lane	Ri : Rise	

POSTTOWN AND POSTAL LOCALITY ABBREVIATIONS

Bans : Banstead	*Coul* : Coulsdon	*Mit J* : Mitcham Junction	*Sutt* : Sutton
Beck : Beckenham	*Croy* : Croydon	*Mord* : Morden	*Tad* : Tadworth
Bedd : Beddington	*E'bury* : Eastbury	*New Ad* : New Addington	*T Hth* : Thornton Heath
Belm : Belmont	*Eps* : Epsom	*Orp* : Orpington	*Wall* : Wallington
Brom : Bromley	*Hack* : Hackbridge	*Purl* : Purley	*Warl* : Warlingham
Cars : Carshalton	*Hook* : Hook	*Reig* : Reigate	*W Wick* : West Wickham
Cat : Caterham	*Kenl* : Kenley	*Short* : Shortlands	*Whyt* : Whyteleafe
Cheam : Cheam	*Kes* : Keston	*Slou* : Slough	*Wold* : Woldingham
Chel : Chelsham	*Kgswd* : Kingswood	*S Croy* : South Croydon	
Chips : Chipstead	*Mitc* : Mitcham	*Stev* : Stevenage	

A

Abbeyfield Clo. *Mitc* 4F **5**
Abbey Ind. Est. *Mitc*. 7G **5**
Abbey La. *Beck*. 2F **9**
Abbey Pde. SW19 . . . . 2D **4**
    (off Merton High St.)
Abbey Pk. *Beck*. 2F **9**
Abbey Rd. *SW19* 2D **4**
Abbey Rd. *Croy* 5E **12** (4A **28**)
Abbey Rd. *S Croy*. 4C **20**
Abbotsbury Rd. *Brom*. 4K **15**
Abbotsbury Rd. *Mord*. 7C **4**
Abbots Grn. *Croy*. 1C **20**
Abbots La. *Kenl*. 3F **25**
Abbotsleigh Rd. *Sutt*. 2C **16**
Abbotts Rd. *Mitc*. 6K **5**
    (in two parts)
Abbotts Rd. *Sutt*. 6A **10**

Abercairn Rd. *SW16*. 2K **5**
Aberconway Rd. *Mord* 6C **4**
Abercorn Clo. *S Croy* 7C **20**
Aberdare Clo. *W Wick* 4H **15**
Aberdeen Rd. *Croy*
    . . . . 6F **13** (7C **28**)
Aberfoyle Rd. *SW16*. 1A **6**
    (in two parts)
Abingdon Clo. *SW19* 1D **4**
Abingdon Lodge. Brom. 3K **9**
    (off Beckenham La.)
Abingdon Rd. *SW16*. 4B **6**
Abinger Clo. *New Ad* 1H **21**
Abinger Clo. *Wall*. 7B **12**
Abinger Ct. *Wall*. 7B **12**
Acacia Clo. *SE20*. 4K **7**
Acacia Dri. Sutt. 3B **10**
Acacia Gdns. *W Wick*. 4H **15**
Acacia Rd. *SW16*. 3B **6**
Acacia Rd. *Beck*. 5E **8**

Acacia Rd. *Mitc*. 4H **5**
Academy Gdns. *Croy*. 3J **13**
Acorn Gdns. *SE19* 3J **7**
Acorn Way. *Beck*. 7H **9**
Acre La. *Cars & Wall*. 6H **11**
Acre Rd. *SW19*. 1E **4**
Adair Clo. *SE25* 5A **8**
Adams Rd. *Beck*. 7D **8**
Adams Way. *Croy*. 1J **13**
Addington. 7F **15**
Addington Heights. *New Ad*
    . . . . 5H **21**
Addington Rd. *Croy*. 3D **12**
Addington Rd. *S Croy*. 5K **19**
Addington Rd. *W Wick*. 6H **15**
Addington Village Rd. *Croy*
    . . . . 1E **20**
    (in two parts)
Addiscombe. 3K **13**
Addiscombe Av. *Croy*. 3K **13**

Addiscombe Ct. Rd. *Croy*
    . . . . 3H **13**
Addiscombe Gro. *Croy*
    . . . . 4H **13** (3E **28**)
Addiscombe Rd. *Croy*. 4H **13**
Addison Pl. *SE25*. 6K **7**
Addison Rd. *SE25* 6K **7**
Addison Rd. *Cat*. 7G **25**
Addisons Clo. *Croy*. 4E **14**
Adelaide Ct. *Beck*. 2E **8**
Admiral Ct. *Cars*. 3F **11**
Admirals Wlk. *Coul*. 7C **24**
Ainsworth Rd. *Croy*
    . . . . . . 3E **12** (2A **28**)
Airbourne Ho. *Wall*. 6K **11**
    (off Maldon Rd.)
Aitken Clo. *Mitc*. 2G **11**
Akabusi Clo. *Croy*. 1K **13**
Albany M. *Sutt*. 7C **10**
Albatross Gdns. *S Croy* 5C **20**

Albemarle Pk. *Beck* 3G **9**
Albemarle Rd. *Beck* 3G **9**
Alberta Av. *Sutt* 6A **10**
Albert Carr Gdns. *SW16* 1B **6**
Albert Mans. *Croy* 1E **28**
Albert Rd. *SE20* 1C **8**
Albert Rd. *SE25* 6K **7**
Albert Rd. *Mitc* 5G **5**
Albert Rd. *Sutt* 7E **10**
Albert Rd. *Warl* 4E **26**
Albert Yd. *SE19* 1H **7**
Albion Pl. *SE25* 5K **7**
Albion Rd. *Sutt* 1E **16**
Albion St. *Croy* 3E **12** (1A **28**)
Albury Ct. *Mitc* 4E **4**
Albury Ct. *S Croy* 7B **28**
Albury Ct. *Sutt* 6D **10**
Alcester Rd. *Wall* 6J **11**
Alcock Clo. *Wall* 2A **18**
Alcorn Clo. *Sutt* 4B **10**
Alden Ct. *Croy* 5H **13**
Aldercroft. *Coul* 3C **24**
Aldersmead Av. *Croy* 1C **14**
Aldersmead Rd. *Beck* 2D **8**
Alders, The. *W Wick* 3G **15**
Alderton Rd. *Croy* 2J **13**
Aldis M. *SW17* 1F **5**
Aldis St. *SW17* 1F **5**
Aldrich Cres. *New Ad* 3H **21**
Aldrich Gdns. *Sutt* 5A **10**
Aldwick Rd. *Croy* 5C **12**
Alexa Ct. *Sutt* 1B **16**
Alexander Ct. *Beck* 3J **9**
Alexander Rd. *Coul* 2J **23**
Alexandra Av. *Sutt* 5B **10**
Alexandra Av. *Warl* 4E **26**
Alexandra Cres. *Brom* 1K **9**
Alexandra Dri. *SE19* 1H **7**
Alexandra Gdns. *Cars* 2H **17**
Alexandra M. *SW19* 1A **4**
Alexandra Pl. *SE25* 7G **7**
Alexandra Pl. *Croy* 3H **13**
Alexandra Rd. *SE26* 1C **8**
Alexandra Rd. *SW19* 1A **4**
Alexandra Rd. *Croy* 3H **13**
Alexandra Rd. *Mitc* 2F **5**
Alexandra Rd. *Warl* 4E **26**
Alexandra Sq. *Mord* 7B **4**
Alexandra Wlk. *SE19* 1H **7**
Alford Grn. *New Ad* 1J **21**
Alfred Rd. *SE25* 7K **7**
Alfred Rd. *Sutt* 7D **10**
Alfriston Av. *Croy* 2B **12**
Alington Gro. *Wall* 3K **17**
Alison Clo. *Croy* 3C **14**
Allenby Av. *S Croy* 3F **19**
Allen Clo. *Mitc* 3J **5**
Allendale Clo. *SE26* 1C **8**
Allen Rd. *Beck* 4C **8**
Allen Rd. *Croy* 3D **12**
All Saints Dri. *S Croy* 6J **19**
All Saints Rd. *SW19* 2D **4**
(in two parts)
All Saints Rd. *Sutt* 5C **10**
Alma Cres. *Sutt* 7A **10**
Alma Pl. *SE19* 2J **7**
Alma Pl. *T Hth* 7D **6**
Alma Rd. *Cars* 7F **11**
Almond Av. *Cars* 4G **11**
Almond Way. *Mitc* 7A **6**
Alnwick Gro. *Mord* 6C **4**
Alphabet Gdns. *Cars* 1E **10**
Alpha Rd. *Croy* 3H **13**
Alphea Clo. *SW19* 2F **5**
Alpine Clo. *Croy* 5H **13**
Alpine Vw. *Cars* 7F **11**
Alt Gro. *SW19* 2A **4**
Alton Gdns. *Beck* 2F **9**
Alton Rd. *Croy* 5D **12**
Altyre Clo. *Beck* 7E **8**
Altyre Rd. *Croy*
. . . . 4G **13** (3E **28**)
Altyre Way. *Beck.* 7E **8**

Alverston Gdns. *SE25*
. . . . 7H **7**
Alvia Gdns. *Sutt* 6D **10**
Alwyn Clo. *New Ad* 2G **21**
Alwyne Rd. *SW19* 1A **4**
Ambercroft Way. *Coul* 6E **24**
Amberley Ct. *Beck* 2E **8**
Amberley Gro. *Croy* 2J **13**
Amberley Way. *Mord* 2A **10**
Amberwood Clo. *Wall.* 7B **12**
Ambleside. *Brom* 1J **9**
Ambleside Av. *Beck* 7D **8**
Ambleside Clo. *S Croy* 3C **20**
Ambleside Gdns. *Sutt.* 1D **16**
Ambrey Way. *Wall* 3A **18**
Amen Corner. *SW17* 1G **5**
Amersham Rd. *Croy* 1F **13**
Ampere Way. *Croy* 2B **12**
(in two parts)
Amy Clo. *Wall* 2B **18**
Ancaster M. *Beck* 5C **8**
Ancaster Rd. *Beck* 5C **8**
Anchorage Clo. *SW19* 1B **4**
Anchor Bus. Cen. *Croy* 5B **12**
Anderson Clo. *Sutt* 3B **10**
Andreck Ct. *Beck* 4G **9**
Andrewes Ho. *Sutt* 6B **10**
Andrew's Ho. *S Croy* 1F **19**
Angel Hill. *Sutt* 5C **10**
(in two parts)
Angel Hill Dri. *Sutt* 5C **10**
Angelica Gdns. *Croy* 3C **14**
Anglesey Ct. Rd. *Cars.* 1H **17**
Anglesey Gdns. *Cars* 1H **17**
Annandale Rd. *Croy* 4K **13**
Annan Dri. *Cars* 3H **17**
Annesley Dri. *Croy* 5E **14**
Anne Sutherland Ho. *Beck* . . 2D **8**
Anne's Wlk. *Cat* 7H **25**
Annsworthy Av. *T Hth* 5G **7**
Annsworthy Cres. *SE25* 4G **7**
Ansell Gro. *Cars* 3H **11**
Anselm Clo. *Croy* 5J **13**
Anson Clo. *S Croy* 1A **26**
Anson Clo. *Kenl* 7G **25**
Anthony Rd. *SE25* 1K **13**
Anton Cres. *Sutt* 5B **10**
Antrobus Clo. *Sutt* 7A **10**
Anvil Clo. *SW16* 2K **5**
Apeldoorn Dri. *Wall* 3B **18**
Apex Clo. *Beck* 3G **9**
Apostle Way. *T Hth.* 4E **6**
Appledown Ri. *Coul* 2K **23**
Applegarth. *New Ad* 2G **21**
(in two parts)
Appleton Sq. *Mitc* 3F **5**
Appletree Clo. *SE20* 3A **8**
Approach Rd. *Purl* 6D **18**
Apsley Rd. *SE25* 6A **8**
Aragon Clo. *New Ad* 4K **21**
Aragon Rd. *Mord* 2A **10**
Arbor Clo. *Beck* 4G **9**
Arbury Ct. *SE20* 3A **8**
Arcade. *Croy* 4F **13** (3C **28**)
Arcade, The. *Croy* 4C **28**
Arcadia Clo. *Cars* 6H **11**
Archer Rd. *SE25* 6A **8**
Archers Ct. *S Croy* 7B **28**
Archway Clo. *Wall* 5A **12**
Arcus Rd. *Brom* 1K **9**
Ardent Clo. *SE25* 5H **7**
Ardfern Av. *SW16* 5D **6**
Ardingly Clo. *Croy* 5C **14**
Ardleigh Gdns. *Sutt* 2B **10**
Arkell Gro. *SE19* 2E **6**
Arkwright Rd. *S Croy* 4J **19**

Arlington Clo. *Sutt* 4B **10**
Arlington Dri. *Cars* 4G **11**
Armfield Cres. *Mitc* 4G **5**
Armistice Gdns. *SE25.* 5K **7**
Arneys La. *Mitc* 1H **11**
Arnham Dri. *New Ad* 5J **21**
Arnold Rd. *SW17* 2G **5**
Arnulls Rd. *SW16.* 1E **6**
Arpley Sq. SE20 . . . . *2B 8*
(off High St.)
Arragon Gdns. *SW16.* 2B **6**
Arragon Gdns. *W Wick.* . . . 5G **15**
Arran Clo. *Wall* 6J **11**
Arras Av. *Mord.* 7D **4**
Arrol Rd. *Beck* 5B **8**
Arthur Ct. Croy. *5H 13*
(off Fairfield Path)
Arun Ct. *SE25* 7K **7**
Arundel Av. *Mord* 6A **4**
Arundel Av. *S Croy* 4K **19**
Arundel Clo. *Croy* 5E **12**
Arundel Ct. *Brom* 4K **9**
Arundel Ho. *Croy* 7D **28**
Arundel Rd. *Croy* 1G **13**
Arundel Rd. *Sutt* 2A **16**
Aschurch Rd. *Croy* 2J **13**
Ascot M. *Wall.* 3K **17**
Ascot Rd. *SW17* 1H **5**
Ashbourne Clo. *Coul.* 5K **23**
Ashbourne Rd. *Mitc.* 2H **5**
Ashbourne Ter. *SW19.* 2A **4**
Ashburnham Ct. *Beck.* 4H **9**
Ashburton Av. *Croy* 3A **14**
Ashburton Clo. *Croy.* 3K **13**
Ashburton Gdns. *Croy* 4K **13**
Ashburton Memorial Homes.
Croy 2A **14**
Ashburton Rd. *Croy* 4K **13**
Ashbury Pl. *SW19* 1D **4**
Ashby Wlk. *Croy.* 1F **13**
Ash Clo. *SE20* 4B **8**
Ash Clo. *Cars.* 4G **11**
Ash Gro. *W Wick.* 4H **15**
Ashgrove Rd. *Brom* 1J **9**
Ashleigh Gdns. *Sutt* 4C **10**
Ashleigh Rd. *SE20* 5A **8**
Ashley Av. *Mord.* 7B **4**
Ashley Dri. *Bans.* 1B **22**
Ashley La. *Croy* . . . 6E **12** (7A **28**)
Ashley Rd. *SW19* 1C **4**
Ashley Rd. *T Hth* 6C **6**
Ashling Rd. *Croy* 3K **13**
Ashmere Av. *Beck.* 4J **9**
Ashridge Way. *Mord.* 5A **4**
Ash Rd. *Croy* 4F **15**
Ash Rd. *Sutt* 2A **10**
Ashton Clo. *Sutt.* 6B **10**
Ashtree Av. *Mitc.* 4E **4**
Ash Tree Clo. *Croy* 1D **14**
Ash Tree Way. *Croy.* 7C **8**
Ashurst Clo. *SE20* 3A **8**
Ashurst Clo. *Kenl* 2G **25**
Ashurst Wlk. *Croy* 4A **14**
Ashwood. *Warl.* 7B **26**
Ashwood Gdns. *New Ad*
. . . . 1G **21**
Ashworth Est. *Croy* 3B **12**
Asmar Clo. *Coul.* 2B **24**
Aspen Gdns. *Mitc* 7H **5**
Aspen Va. *Whyt* 5J **25**
Assembly Wlk. *Cars* 2F **11**

Aston Pl. *SW16* 1E **6**
Atalanta Clo. *Purl.* 4D **18**
Atkins Dri. *W Wick.* 4J **15**
Attlee Clo. *T Hth.* 7F **7**
Attwood Clo. *S Croy.* 1A **26**
Auckland Clo. *SE19* 3J **7**
Auckland Gdns. *SE19* 3H **7**
Auckland Ri. *SE19.* 3H **7**
Auckland Rd. *SE19.* 3J **7**
Audley Dri. *Warl.* 2B **26**
Audley Pl. *Sutt.* 2C **16**
Audrey Clo. *Beck.* 1G **15**
Aultone Way. *Cars* 5G **11**
Aultone Way. *Sutt* 4C **10**
Aurelia Gdns. *Croy.* 7C **6**
Aurelia Rd. *Croy* 1B **12**
Austin Clo. *Coul.* 5E **24**
Autumn Clo. *SW19* 1D **4**
Autumn Dri. *Sutt* 3C **16**
Autumn Lodge. S Croy. *6H 13*
(off S. Park Hill Rd.)
Avalon Clo. *SW20* 4A **4**
Avarn Rd. *SW17* 1G **5**
Avebury Rd. *SW19* 3A **4**
Aveling Clo. *Purl.* 7C **18**
Avenue Gdns. *SE25.* 4K **7**
Avenue Rd. *SE20 & Beck.* . . . 3B **8**
Avenue Rd. *SE25.* 4J **7**
Avenue Rd. *SW16.* 1E **6**
Avenue Rd. *Bans.* 2C **22**
Avenue Rd. *Sutt.* 4B **16**
Avenue Rd. *Wall.* 2K **17**
Avenue, The. *Beck.* 3G **9**
(in two parts)
Avenue, The. *Cars.* 2H **17**
Avenue, The. *Coul.* 2A **24**
Avenue, The. *Croy.* 5H **13**
Avenue, The. *Sutt.* 4A **16**
Avenue, The. *W Wick.* 2K **15**
Avenue, The. *Whyt.* 6K **25**
Averil Gro. *SW16.* 1E **6**
Aviemore Clo. *Beck.* 7E **8**
Aviemore Way. *Beck.* 7D **8**
Avington Gro. *SE20.* 2B **8**
Avon Clo. *Sutt.* 6D **10**
Avondale Rd. *Brom.* 1K **9**
Avondale Rd. *S Croy.* 1F **19**
Avon Path. *S Croy.* 1F **19**
Avro Way. *Wall.* 2B **18**
Aylesbury Ct. *Sutt.* 5D **10**
Aylesford Av. *Beck.* 7D **8**
Aylett Rd. *SE25.* 6A **8**
Aylward Rd. *SW20.* 4A **4**
Aysgarth Ct. *Sutt.* 5C **10**

B

Backley Gdns. *SE25.* 1K **13**
Bader Clo. *Kenl.* 2G **25**
Badgers Hole. *Croy.* 6C **14**
Badgers La. *Warl.* 7B **26**
Badgers Wlk. *Purl.* 5K **17**
Badgers Wlk. *Whyt.* 5J **25**
Bailey Pl. *SE26.* 1C **8**
Baines Clo. *S Croy.* 7G **13**
Baker Boy La. *Croy.* 7D **20**
Baker La. *Mitc.* 4H **5**
Bakers Clo. *Kenl.* 1F **25**
Bakers Ct. *SE25.* 5H **7**
Bakers End. *SW20.* 4A **4**
Bakers Gdns. *Cars* 4F **11**
Balaam Ho. *Sutt.* 6B **10**
Baldry Gdns. *SW16* 1B **6**
Balfont Clo. *S Croy.* 7K **19**
Balfour Rd. *SE25.* 7K **7**
Balfour Rd. *SW19.* 2C **4**
Balfour Rd. *Cars.* 2G **17**
Balgowan Rd. *Beck.* 5D **8**
Ballantyne Dri. *Kgswd.* 7A **22**
Ballards Farm Rd. *S Croy & Croy*
. . . . 1K **19**
(in two parts)
Ballards Grn. *Tad.* 6A **22**
Ballards Ri. *S Croy.* 1K **19**

Ballards Way. *S Croy & Croy* . . . 1K **19**
Ballater Rd. *S Croy* . . . 7J **13**
Balmoral Av. *Beck* . . . 6D **8**
Balmoral Ct. Beck . . . *3H **9***
(off Avenue, The)
Balmoral Ct. *Sutt* . . . 2B **16**
Balmoral Gdns. *S Croy* . . . 4G **19**
Balmoral Way. *Sutt* . . . 4B **16**
Baltic Clo. *SW19* . . . 2E **4**
Bampfylde Clo. *Wall* . . . 5K **11**
Banavie Gdns. *Beck* . . . 3H **9**
Banbury Ct. *Sutt* . . . 2B **16**
Bandonhill . . . 7A 12
Bandon Ri. *Wall* . . . 7A **12**
Bank Av. *Mitc* . . . 4E **4**
Bank M. *Sutt* . . . 1D **16**
Bankside. *S Croy* . . . 1J **19**
Bankside Clo. *Cars* . . . 1F **17**
Bankside Way. *SE19* . . . 1H **7**
Banstead . . . 2B 22
Banstead Rd. *Cars* . . . 3E **16**
Banstead Rd. *Eps & Bans* . . . 7A **16**
Banstead Rd. *Purl* . . . 5D **18**
Banstead Rd. S. *Sutt* . . . 5D **16**
Banstead Way. *Wall* . . . 7B **12**
Barclay Rd. *Croy* . . . 5G **13** (4D **28**)
Bardney Rd. *Mord* . . . 6C **4**
Bardolph Av. *Croy* . . . 3D **20**
Bardsley Clo. *Croy* . . . 5J **13**
Barfreston Way. *SE20* . . . 3A **8**
Bargrove Clo. *SE20* . . . 2K **7**
Barham Ct. *S Croy* . . . 7C **28**
Barham Rd. *S Croy* . . . 6F **13** (7C **28**)
Baring Rd. *Croy* . . . 3K **13**
Barlow Clo. *Wall* . . . 1B **18**
Barmouth Rd. *Croy* . . . 4C **14**
Barnard Clo. *Wall* . . . 2A **18**
Barnard Rd. *Mitc* . . . 5H **5**
Barnard Rd. *Warl* . . . 6G **27**
Barnards Pl. *S Croy* . . . 3E **18**
Barn Clo. *Bans* . . . 2E **22**
Barn Cres. *Purl* . . . 7G **19**
Barnfield. *Bans* . . . 1C **22**
Barnfield Av. *Croy* . . . 4B **14**
Barnfield Av. *Mitc* . . . 6J **5**
Barnfield Clo. *Coul* . . . 6F **25**
Barnfield Rd. *S Croy* . . . 3H **19**
Barnfield Wood Clo. *Beck* . . . 1J **15**
Barnfield Wood Rd. *Beck* . . . 1J **15**
Barnhill Av. *Brom* . . . 7K **9**
Barnmead Rd. *Beck* . . . 3C **8**
Baron Clo. *Sutt* . . . 4C **16**
Baron Gro. *Mitc* . . . 6F **5**
Barons Ct. *Wall* . . . 5A **12**
Baron's Wlk. *Croy* . . . 1D **14**
Baron Wlk. *Mitc* . . . 6F **5**
Barrie Clo. *Coul* . . . 3K **23**
Barrington Rd. *Purl* . . . 6K **17**
Barrington Rd. *Sutt* . . . 4B **10**
Barrington Wlk. *SE19* . . . 1H **7**
Barrow Av. *Cars* . . . 2G **17**
Barrow Hedges Clo. *Cars* . . . 2F **17**
Barrow Hedges Way. *Cars* . . . 2F **17**
Barrow Rd. *SW16* . . . 1A **6**
Barrow Rd. *Croy* . . . 7D **12**
Barrowsfield. *S Croy* . . . 6J **19**
Barry Clo. *Orp* . . . 7E **28**
Barson Clo. *SE20* . . . 2B **8**
Bartlett St. *S Croy* . . . 7G **13**
Barts Clo. *Beck* . . . 7F **9**
Barwood Av. *W Wick* . . . 3G **15**
Basildon Clo. *Sutt* . . . 3C **16**
Basil Gdns. *Croy* . . . 3C **14**
Basinghall Gdns. *Sutt* . . . 3C **16**
Basing Rd. *Bans* . . . 1A **22**
Bassett Clo. *Sutt* . . . 3C **16**
Bates Cres. *SW16* . . . 2K **5**
Bates Cres. *Croy* . . . 7D **12**
Bath Ho. Rd. *Croy* . . . 3B **12**
Bathurst Av. *SW19* . . . 3C **4**
Batley Clo. *Mitc* . . . 2G **11**
Batsworth Rd. *Mitc* . . . 5E **4**
Battenberg Wlk. *SE19* . . . 1H **7**
Battle Clo. *SW19* . . . 1D **4**
Bavant Rd. *SW16* . . . 4B **6**
Bawtree Clo. *Sutt* . . . 4D **16**
Bayards. *Warl* . . . 5B **26**
Bayham Rd. *Mord* . . . 6C **4**
Beacon Gro. *Cars* . . . 6H **11**
Beacon Pl. *Croy* . . . 5B **12**
Beaconsfield Rd. *Croy* . . . 1G **13**
Beadlow Clo. *Cars* . . . 1E **10**
Beaford Gro. *SW20* . . . 5A **4**
Beardell St. *SE19* . . . 1J **7**
Bearsted Ter. *Beck* . . . 3F **9**
Beatrice Av. *SW16* . . . 5C **6** (7A **28**)
Beauchamp Rd. *SE19* . . . 3G **7**
Beauchamp Rd. *Sutt* . . . 6B **10**
Beaufort Gdns. *SW16* . . . 2C **6**
Beaulieu Clo. *Mitc* . . . 3H **5**
Beaumont Rd. *SE19* . . . 1F **7**
Beaumont Rd. *Purl* . . . 7D **18**
Beaver Clo. *SE20* . . . 2K **7**
Beaver Ct. *Beck* . . . 2G **9**
Beck Ct. *Beck* . . . 5C **8**
Beckenham . . . 3F 9
Beckenham Bus. Cen. *Beck* . . . 1D **8**
Beckenham Crematorium. *Beck* . . . 5B **8**
Beckenham Gro. *Brom* . . . 4J **9**
Beckenham Hill Est. *Beck* . . . 1G **9**
Beckenham Hill Rd. *Beck & SE6* . . . 1G **9**
BECKENHAM HOSPITAL . . . 4E **8**
Beckenham La. *Brom* . . . 4K **9**
Beckenham Pl. Pk. *Beck* . . . 2G **9**
Beckenham Rd. *Beck* . . . 3C **8**
Beckenham Rd. *W Wick* . . . 2G **15**
Beckenshaw Gdns. *Bans* . . . 2F **23**
Becket Clo. *SE25* . . . 1K **13**
Becket Clo. SW19 . . . *2C **4***
(off High Path)
Beckett Av. *Kenl* . . . 2E **24**
Beckett Wlk. *Beck* . . . 1D **8**
Beckford Rd. *Croy* . . . 1J **13**
Beck La. *Beck* . . . 5C **8**
Beck River Pk. *Beck* . . . 3F **9**
Beck Way. *Beck* . . . 5E **8**
Beckway Rd. *SW16* . . . 4A **6**
Beclands Rd. *SW17* . . . 1H **5**
Becondale Rd. *SE19* . . . 1H **7**
Beddington . . . 5B 12
Beddington Corner . . . 2H 11
Beddington Farm Rd. *Croy* . . . 2B **12**
Beddington Gdns. *Cars & Wall* . . . 1H **17**
(in two parts)
Beddington Gro. *Wall* . . . 7A **12**
Beddington La. *Croy* . . . 7K **5**
Beddington Pk. Cotts. *Wall* . . . 5A **12**
Beddington Ter. *Croy* . . . 2C **12**
Beddington Trad. Est. *Croy* . . . 3B **12**
Bedfont Clo. *Mitc* . . . 4H **5**
Bedford Ct. Croy . . . *3F **13***
(off Tavistock Rd.)
Bedford Pk. *Croy* . . . 3F **13** (1C **28**)
Bedford Pl. *Croy* . . . 3G **13** (1D **28**)
Bedlow Way. *Croy* . . . 6C **12**
Bedser Clo. *T Hth* . . . 5F **7**
Bedwardine Rd. *SE19* . . . 2H **7**
Beech Av. *S Croy* . . . 5G **19**
Beech Clo. *Cars* . . . 4G **11**
Beech Copse. *S Croy* . . . 7H **13**
Beech Ct. *Beck* . . . 2E **8**
Beechcroft Av. *Kenl* . . . 2G **25**
Beechcroft Ct. *Sutt* . . . 2D **16**
Beeches Av. *Cars* . . . 2F **17**
Beeches Clo. *SE20* . . . 3B **8**
Beeches Rd. *Sutt* . . . 3A **10**
Beeches, The. *Bans* . . . 3C **22**
Beeches, The. S Croy . . . *7G **13***
(off Blunt Rd.)
Beeches Wlk. *Cars* . . . 3E **16**
Beech Farm Rd. *Warl* . . . 7H **27**
Beechfield. *Bans* . . . 7C **16**
Beechfield Ct. *S Croy* . . . 7B **28**
Beech Gro. *Mitc* . . . 7A **6**
(in two parts)
Beech Ho. Rd. *Croy* . . . 5G **13** (5D **28**)
Beechlee. *Wall* . . . 4K **17**
Beechmont Clo. *Brom* . . . 1K **9**
Beecholme Av. *Mitc* . . . 3J **5**
Beech Rd. *SW16* . . . 4B **6**
Beech Tree Pl. *Sutt* . . . 7C **10**
Beech Way. *S Croy* . . . 7C **20**
Beechwood Av. *Coul* . . . 2J **23**
Beechwood Av. *T Hth* . . . 6E **6**
Beechwood Ct. *Cars* . . . 6G **11**
Beechwood La. *Warl* . . . 6C **26**
Beechwood Rd. *S Croy* . . . 4H **19**
Beeleigh Rd. *Mord* . . . 6C **4**
Beggars Roost La. *Sutt* . . . 1B **16**
Belfast Rd. *SE25* . . . 6A **8**
Belgrave Rd. *SE25* . . . 6J **7**
Belgrave Rd. *Mitc* . . . 5E **4**
Belgrave Wlk. *Mitc* . . . 5E **4**
Belgravia Gdns. *Brom* . . . 1K **9**
Bellevue Pk. *T Hth* . . . 5F **7**
Bellfield. *Croy* . . . 3D **20**
Bell Hill. *Croy* . . . 4F **13** (3B **28**)
Belmont . . . 4B 16
Belmont Ri. *Sutt* . . . 1A **16**
Belmont Rd. *SE25* . . . 7A **8**
Belmont Rd. *Beck* . . . 4D **8**
Belmont Rd. *Sutt* . . . 4B **16**
Belmont Rd. *Wall* . . . 7J **11**
Belsize Gdns. *Sutt* . . . 6C **10**
Belvedere Av. *SW19* . . . 1A **4**
Belvedere Dri. *SW19* . . . 1A **4**
Belvedere Rd. *SE19* . . . 2J **7**
Bench Fld. *S Croy* . . . 1J **19**
Bencombe Rd. *Purl* . . . 1D **24**
Bencroft Rd. *SW16* . . . 2K **5**
Bencurtis Pk. *W Wick* . . . 5J **15**
Benedict Rd. *Mitc* . . . 5E **4**
Benedict Wharf. *Mitc* . . . 5E **4**
Benett Gdns. *SW16* . . . 4B **6**
Benfleet Clo. *Sutt* . . . 5D **10**
Benham Clo. *Coul* . . . 5E **24**
Benhill Av. *Sutt* . . . 6C **10**
Benhill Rd. *Sutt* . . . 5D **10**
Benhill Wood Rd. *Sutt* . . . 5D **10**
Benhilton . . . 5D 10
Benhilton Gdns. *Sutt* . . . 5C **10**
Benhurst Clo. *S Croy* . . . 4C **20**
Benhurst Ct. *SW16* . . . 1D **6**
Benhurst Gdns. *S Croy* . . . 4B **20**
Bennetts Av. *Croy* . . . 4D **14**
Bennetts Clo. *Mitc* . . . 3J **5**
Bennetts Way. *Croy* . . . 4D **14**
Bensham Clo. *T Hth* . . . 6F **7**
Bensham Gro. *T Hth* . . . 4F **7**
Bensham La. *T Hth & Croy* . . . 7E **6**
Bensham Mnr. Rd. *T Hth* . . . 6F **7**
Benson Rd. *Croy* . . . 5D **12**
Benthall Gdns. *Kenl* . . . 4F **25**
Benwood Ct. *Sutt* . . . 5D **10**
Beresford Rd. *Sutt* . . . 2A **16**
Berkeley Ct. *Croy* . . . 6D **28**
Berkeley Ct. *Wall* . . . 5K **11**
Berkshire Sq. *Mitc* . . . 6B **6**
Berkshire Way. *Mitc* . . . 6B **6**
Bernard Gdns. *SW19* . . . 1A **4**
Bernard Rd. *Wall* . . . 6J **11**
Bernel Dri. *Croy* . . . 5E **14**
Berne Rd. *T Hth* . . . 7F **7**
Berney Ho. *Beck* . . . 7D **8**
Berney Rd. *Croy* . . . 2G **13**
Bertie Rd. *SE26* . . . 1C **8**
Bertram Cotts. *SW19* . . . 2B **4**
Bert Rd. *T Hth* . . . 7F **7**
Besley St. *SW16* . . . 1K **5**
Betchworth Clo. *Sutt* . . . 7E **10**
Betchworth Way. *New Ad* . . . 3H **21**
Bethersden Clo. *Beck* . . . 2E **8**
BETHLEM ROYAL HOSPITAL, THE. . . . 2F **15**
Betjeman Clo. *Coul* . . . 4C **24**
Betony Clo. *Croy* . . . 3C **14**
Betts Clo. *Beck* . . . 4D **8**
Betts Way. *SE20* . . . 3A **8**
Betula Clo. *Kenl* . . . 2G **25**
Beulah Av. *T Hth* . . . 4F **7**
Beulah Cres. *T Hth* . . . 4F **7**
Beulah Gro. *Croy* . . . 1F **13**
Beulah Hill. *SE19* . . . 1E **6**
Beulah Rd. *SW19* . . . 2A **4**
Beulah Rd. *Sutt* . . . 6B **10**
Beulah Rd. *T Hth* . . . 5F **7**
Beulah Wlk. *Wold* . . . 7D **26**
Bevan Ct. *Croy* . . . 7D **12**
Beverley Rd. *SE20* . . . 4A **8**
Beverley Rd. *Mitc* . . . 6A **6**
Beverley Rd. *Whyt* . . . 3H **25**
Beverstone Rd. *T Hth* . . . 6D **6**
Bevill Allen Clo. *SW17* . . . 1G **5**
Bevill Clo. *SE25* . . . 5K **7**
Bevington Rd. *Beck* . . . 4G **9**
Beynon Rd. *Cars* . . . 7G **11**
Bickersteth Rd. *SW17* . . . 1G **5**
Bickley St. *SW17* . . . 1F **5**
Bicknoller Clo. *Sutt* . . . 4C **16**
Biddulph Rd. *S Croy* . . . 4F **19**
Biggin Av. *Mitc* . . . 3G **5**
Biggin Hill. *SE19* . . . 3E **6**
Biggin Way. *SE19* . . . 2E **6**
Bigginwood Rd. *SW16* . . . 2E **6**
Billinton Hill. *Croy* . . . 4G **13** (2E **28**)
Bindon Grn. *Mord* . . . 6C **4**
Binfield Rd. *S Croy* . . . 7J **13**
Bingham Rd. *Croy* . . . 3K **13**
Birchanger Rd. *SE25* . . . 7K **7**
Birch Ct. *Wall* . . . 6J **11**
Birchend Clo. *S Croy* . . . 1G **19**
Birches Clo. *Mitc* . . . 5G **5**
Birchfield Clo. *Coul* . . . 3C **24**
Birch Hill. *Croy* . . . 7C **14**
Birch La. *Purl* . . . 5B **18**
Birch Tree Av. *W Wick* . . . 7K **15**
Birch Tree Way. *Croy* . . . 4A **14**
Birch Wlk. *Mitc* . . . 3J **5**
Birch Way. *Warl* . . . 5D **26**
Birchwood Av. *Beck* . . . 6E **8**
Birchwood Av. *Wall* . . . 5H **11**
Birchwood Clo. *Mord* . . . 6C **4**
Birdhurst Av. *S Croy* . . . 6G **13** (7E **28**)
Birdhurst Gdns. *S Croy* . . . 6G **13** (7E **28**)
Birdhurst Ri. *S Croy* . . . 7H **13**
Birdhurst Rd. *SW19* . . . 1F **5**
Birdhurst Rd. *S Croy* . . . 7H **13**
Birdwood Clo. *S Croy* . . . 5B **20**
Birkbeck Rd. *SW19* . . . 1C **4**
Birkbeck Rd. *Beck* . . . 4B **8**
Birkdale Gdns. *Croy* . . . 6C **14**
Bisenden Rd. *Croy* . . . 4H **13**
Bisham Clo. *Cars* . . . 3G **11**
Bishop's Clo. *Coul* . . . 5D **24**
Bishop's Clo. *Sutt* . . . 5B **10**
Bishopsford Rd. *Mord* . . . 2D **10**
Bishops Pk. Rd. *SW16* . . . 3B **6**
Bishop's Rd. *Croy* . . . 2E **12**
Bishops Wlk. *Croy* . . . 7C **14**
Blackbush Clo. *Sutt* . . . 2C **16**
Blackford Clo. *S Croy* . . . 3E **18**
Black Horse La. *Croy* . . . 2K **13**
Blackman's La. *Warl* . . . 1K **27**
Blackshaw Rd. *SW17* . . . 1E **4**
Blacksmiths Hill. *S Croy* . . . 7K **19**
Blackthorne Av. *Croy* . . . 3B **14**
Bladon Ct. *SW16* . . . 1B **6**
Blair Ct. *Beck* . . . 3G **9**
Blake Clo. *Cars* . . . 3F **11**
Blakehall Rd. *Cars* . . . 1G **17**
Blakemore Rd. *T Hth* . . . 7C **6**

Blakeney Av. *Beck.* 3E **8**
Blakeney Rd. *Beck* 2E **8**
Blake Rd. *Croy.* 4H **13**
Blake Rd. *Mitc* 5F **5**
Blake's Grn. *W Wick.* 3H **15**
Blakesley Wlk. *SW20* 4A **4**
Blanchland Rd. *Mord* 7C **4**
Blanchman's Rd. *Warl* 5D **26**
Blandford Av. *Beck.* 4D **8**
Blandford Clo. *Croy* 5B **12**
Blandford Rd. *Beck.* 5B **8**
Blean Gro. *SE20.* 2B **8**
Blegborough Rd. *SW16* 1K **5**
Blenheim Clo. *Wall* 2K **17**
Blenheim Ct. *Brom.* 6K **9**
Blenheim Ct. *Sutt.* 1D **16**
Blenheim Cres. *S Croy* 2F **19**
Blenheim Gdns. *S Croy.* 6K **19**
Blenheim Gdns. *Wall* 1K **17**
Blenheim Pk. Rd. *S Croy.* . . . 3F **19**
Blenheim Rd. *SE20* 2B **8**
Blenheim Rd. *Sutt* 5B **10**
Blenheim Shop. Cen. *SE20* . . 2B **8**
Bletchingley Clo. *T Hth* 6E **6**
Blind La. *Bans* 2F **23**
Bloomhall Rd. *SE19.* 1G **7**
Blossom Clo. *S Croy.* 7J **13**
Bloxworth Clo. *Wall* 5K **11**
Bluebell Clo. *Wall* 3J **11**
Blueberry Gdns. *Coul* 3C **24**
Blue Riband Ind. Est. *Croy*
. . . . 4E **12** (2A **28**)
Blunt Rd. *S Croy* 7G **13**
Bodiam Rd. *SW16* 2A **6**
Bodmin Gro. *Mord.* 7C **4**
Bolderwood Way. *W Wick*
. . . . 4G **15**
Boleyn Gdns. *W Wick.* 4G **15**
Boleyn Gro. *W Wick.* 4H **15**
Bolstead Rd. *Mitc.* 3J **5**
Bolters La. *Bans.* 1A **22**
Bolton Clo. *SE20* 4K **7**
Bolton Gdns. *Brom.* 1K **9**
Bonchurch Clo. *Sutt.* 2C **16**
Bond Gdns. *Wall* 6K **11**
Bond Rd. *Mitc* 4F **5**
Bond Rd. *Warl* 5C **26**
Bookham Ct. *SW19* 5E **4**
Booth Rd. *Croy* 4E **12** (3A **28**)
Border Gdns. *Croy* 6G **15**
Bordergate. *Mitc.* 3F **5**
Border Rd. *SE26* 1B **8**
Bordesley Rd. *Mord.* 7C **4**
Borough Hill. *Croy*
. . . . 5E **12** (5A **28**)
Borough Rd. *Mitc.* 4F **5**
Borrowdale Clo. *S Croy.* . . . 7J **19**
Borrowdale Dri. *S Croy* 6J **19**
Boscombe Gdns. *SW16* 1B **6**
Boscombe Ho. *Croy.* 1D **28**
Boscombe Rd. *SW17.* 1H **5**
Boscombe Rd. *SW19.* 3C **4**
Boston Rd. *Croy.* 1C **12**
Boswell Rd. *T Hth.* 6F **7**
Bothwell Rd. *New Ad* 4H **21**
Boulogne Rd. *Croy.* 1F **13**
Boundary Bus. Ct. *Mitc.* 5E **4**
Boundary Clo. *SE25* 4K **7**
Boundary Rd. *SW19.* 1E **4**
Boundary Rd. *Cars & Wall*
. . . . 1J **17**
Boundary Way. *Croy* 7F **15**
Bourdon Rd. *SE20* 4B **8**
Bourke Hill. *Coul* 5G **23**
Bourne Dri. *Mitc.* 4E **4**
Bournefield Rd. *Whyt.* 5K **25**
Bournemouth Rd. *SW19.* 3B **4**
Bourne Pk. Clo. *Kenl* 3H **25**
Bourne St. *Croy.* . . . 4E **12** (3A **28**)
Bourne Vw. *Kenl* 2G **25**
Bourne Way. *Brom.* 4K **15**
Bourne Way. *Sutt.* 7A **10**
Bouverie Gdns. *Purl* 1C **24**
Bouverie Rd. *Coul* 5H **23**

Bovingdon Sq. *Mitc* 6B **6**
Bowens Wood. *Croy.* 3E **20**
Bowley Clo. *SE19* 1J **7**
Bowley La. *SE19.* 1J **7**
Bowmans Mdw. *Wall* 5J **11**
Boxford Clo. *S Croy* 6C **20**
Boxley Rd. *Mord* 6D **4**
Boxwood Way. *Warl* 4C **26**
Boyd Rd. *SW19* 1E **4**
Brabazon Av. *Wall.* 2B **18**
Brabourne Clo. *SE19* 1H **7**
Brabourne Ri. *Beck.* 7H **9**
Brabrook Ct. *Wall.* 6J **11**
Bracewood Gdns. *Croy* 5J **13**
Bracken Av. *Croy* 5F **15**
Brackens. *Beck.* 2F **9**
Brackley Clo. *Wall.* 2B **18**
Brackley Rd. *Beck.* 2E **8**
Brading Rd. *Croy.* 1C **12**
Bradley Clo. *Belm.* 4C **16**
Bradley Rd. *SE19.* 1F **7**
Bradmore Way. *Coul.* 4B **24**
Bradshaw Clo. *SW19* 1B **4**
Bradshaws Clo. *SE25* 5K **7**
Braemar Av. *S Croy.* 4F **19**
Braemar Av. *T Hth* 5D **6**
Braemar Gdns. *W Wick.* 3H **15**
Braeside. *Beck.* 1F **9**
Braeside Av. *SW19.* 3A **4**
Braeside Rd. *SW16* 2K **5**
Brafferton Rd. *Croy*
. . . . 6F **13** (6B **28**)
Brailsford Clo. *SW19* 2F **5**
Brambleacres Clo. *Sutt.* 2B **16**
Bramble Banks. *Cars* 3H **17**
Bramble Clo. *Beck.* 7H **9**
Bramble Clo. *Croy.* 6F **15**
Brambledown Clo. *W Wick.* . . 7K **9**
Brambledown Rd. *Cars & Wall*
. . . . 2H **17**
Brambledown Rd. *S Croy.* . . . 2H **19**
Brambles, The. SW19 . . . . . . 1A **4**
(off Woodside)
Bramblewood Clo. *Cars.* 3F **11**
Bramcote Av. *Mitc.* 6G **5**
Bramerton Rd. *Beck.* 5E **8**
Bramley Av. *Coul.* 2K **23**
Bramley Clo. *S Croy*
. . . . 7F **13** (7A **28**)
Bramley Ct. *Mitc.* 4E **4**
Bramley Hill. *S Croy*
. . . . 7E **12** (7A **28**)
Bramleyhyrst. S Croy 7B **28**
Bramley Rd. *Sutt.* 7E **10**
Bramley Way. *W Wick.* 4G **15**
Brampton Rd. *Croy.* 2J **13**
Brancaster La. *Purl.* 4F **19**
Brancker Clo. *Wall.* 2B **18**
Brandon Ho. Beck 6J **9**
(off Beckenham Hill Rd.)
Brandon Rd. *Sutt.* 6C **10**
Brandries, The. *Wall.* 5A **12**
Brandy Way. *Sutt.* 2B **16**
Brangwyn Cres. *SW19* 3D **4**
Branksome Rd. *SW19* 3B **4**
Branscombe Ct. *Brom* 7K **9**
Brantwood Rd. *S Croy* 3F **19**
Branxholme Ct. Brom 3K **9**
(off Highland Rd.)
Brasted Clo. *Sutt* 4B **16**
Brasted Lodge. *Beck.* 2F **9**
Bratten Ct. *Croy* 1G **13**
Braxted Pk. *SW16* 1C **6**
Braybrooke Gdns. *SE19* 2H **7**
Brazil Clo. *Bedd* 2B **12**
Breakfield. *Coul* 3B **24**
Brecon Clo. *Mitc* 5B **6**
Bredhurst Clo. *SE20* 1B **8**
Bredon Rd. *Croy.* 2J **13**
Bredune. *Kenl* 2G **25**
Brenley Clo. *Mitc* 5H **5**
Brent Rd. *S Croy* 3A **20**
Brian Av. *S Croy.* 6H **19**

Briar Av. *SW16.* 2C **6**
Briar Banks. *Cars* 3H **17**
Briar Gro. *S Croy* 7K **19**
Briar Hill. *Purl* 5B **18**
Briar La. *Cars.* 3H **17**
Briar La. *Croy.* 6G **15**
Briar Rd. *SW16* 5B **6**
Briary Lodge. *Beck.* 1F **9**
Brickfield Rd. *T Hth* 3E **6**
Brickwood Rd. *Croy.* 4H **13**
Bridgefield Rd. *Sutt.* 1B **16**
Bridge Ho. Sutt 1C **16**
(off Bridge Rd.)
Bridge Pl. *Croy.* 3G **13**
Bridge Rd. *Beck.* 2E **8**
Bridge Rd. *Sutt* 1C **16**
Bridge Rd. *Wall* 7J **11**
Bridge Row. *Croy.* 3G **13**
Bridges La. *Croy* 6B **12**
Bridges Rd. *SW19* 1C **4**
Bridges Rd. M. *SW19.* 1C **4**
Bridge Way. *Coul* 6F **23**
Bridgewood Clo. *SE20* 2A **8**
Bridgewood Rd. *SW16.* 2A **6**
Bridle Path. *Croy* 5B **12**
(in two parts)
Bridle Rd. *Croy.* 5F **15**
(in two parts)
Bridle Rd. *S Croy* 3K **19**
Bridle Rd., The. *Purl.* 4B **18**
Bridle Way. *Croy.* 6F **15**
Bridle Way, The. *Croy.* 4D **20**
Bridleway, The. *Wall.* 7K **11**
Bridport Rd. *T Hth.* 5D **6**
Brierley. *New Ad* 1G **21**
(in two parts)
Brierley Clo. *SE25* 6K **7**
Briggs Clo. *Mitc* 3J **5**
Brighton Rd. *Coul & Purl* . . . 7J **23**
Brighton Rd. *Purl & S Croy*
. . . . 5D **18**
Brighton Rd. *S Croy*
. . . . 7F **13** (7C **28**)
Brighton Rd. *Sutt.* 5B **16**
Brighton Rd. *Tad & Bans* . . . 5A **22**
Brightwell Clo. *Croy.* 3D **12**
Brightwell Cres. *SW17.* 1G **5**
Brigstock Rd. *Coul.* 2J **23**
Brigstock Rd. *T Hth* 7D **6**
Brindles, The. *Bans* 4A **22**
Brisbane Av. *SW19.* 3C **4**
Briscoe Rd. *SW19* 1E **4**
Bristol Clo. *Wall* 2B **18**
Bristol Rd. *Mord* 7D **4**
Bristow Rd. *SE19.* 1H **7**
Bristow Rd. *Croy.* 6B **12**
BRITISH HOME & HOSPITAL FOR
INCURABLES. 1E **6**
Briton Clo. *S Croy* 5H **19**
Briton Cres. *S Croy.* 5H **19**
Briton Hill Rd. *S Croy.* 4H **19**
Broadcoombe. *S Croy* 2B **20**
Broadeaves Clo. *S Croy* 7H **13**
Broadfield Clo. *Croy.* 4C **12**
Broad Green. 2E **12**
Broad Grn. Av. *Croy* 2E **12**
Broadlands Dri. *Warl* 6B **26**
Broadoaks Way. *Brom.* 7K **9**
Broadview Rd. *SW16.* 2A **6**
Broadway Av. *Croy.* 7G **7**
Broadway Clo. *S Croy.* 1A **26**
Broadway Ct. *SW19.* 1B **4**
Broadway Ct. *Beck.* 5H **9**
Broadway Gdns. *Mitc* 6F **5**
Broadway Pl. *SW19.* 1A **4**
Broadway, The. *SW19* 1A **4**
Broadway, The. *Croy* 6B **12**
Broadway, The. *Sutt.* 7D **10**
Brockenhurst Rd. *Croy.* 2A **14**
Brockenhurst Way. *SW16.* . . 4A **6**
Brockham Clo. *SW19.* 1A **4**
Brockham Cres. *New Ad.* . . . 2J **21**
Brocklebank Ct. *Whyt.* 5K **25**
Brocklesby Rd. *SE25* 6A **8**

Brocks Dri. *Sutt.* 4A **10**
Brograve Gdns. *Beck.* 4G **9**
Bromley Av. *Brom* 2K **9**
Bromley Gro. *Brom* 4J **9**
Bromley Hill. *Brom* 1K **9**
Bromley Park. 3K **9**
Bromley Rd. *SE6 & Brom* . . . . IK **9**
Bromley Rd. *Beck & Short.* . . 3G **9**
Brompton Clo. *SE20* 4K **7**
Brook Ct. *Beck.* 3E **8**
Brookfield Av. *Sutt.* 6F **11**
Brookfields Av. *Mitc.* 7F **5**
Brooklands Ct. *Mitc* 4E **4**
Brooklyn Av. *SE25.* 6A **8**
Brooklyn Clo. *Cars* 4F **11**
Brooklyn Gro. *SE25* 6A **8**
Brooklyn Rd. *SE25.* 6A **8**
Brookmead Ind. Est. *Croy.* . . 1K **11**
Brookmead Rd. *Croy.* 1K **11**
Brook Rd. *T Hth.* 6F **7**
Brookscroft. *Croy.* 4E **20**
Brookside. *Cars.* 7H **11**
Brookside Way. *Croy.* 1C **14**
Brookwood Clo. *Brom.* 6K **9**
Broome Ct. *Tad* 6A **22**
Broomfield Rd. *Beck.* 5D **8**
Broom Gdns. *Croy.* 5F **15**
Broomhall Rd. *S Croy.* 3G **19**
Broomloan La. *Sutt.* 4B **10**
Broom Rd. *Croy.* 5F **15**
Broomwood Clo. *Croy.* 7C **8**
Broseley Gro. *SE26.* 1D **8**
Broster Gdns. *SE25.* 5J **7**
Broughton Rd. *T Hth.* 1D **12**
Brown Clo. *Wall.* 2B **18**
Browning Av. *Sutt.* 6F **11**
Brownlow Rd. *Croy.* 6H **13**
Bruce Dri. *S Croy.* 3C **20**
Bruce Rd. *SE25.* 6G **7**
Bruce Rd. *Mitc.* 2H **5**
Brunel Clo. *SE19.* 1J **7**
Brunswick Ct. *Sutt.* 6C **10**
Brunswick M. *SW16* 1A **6**
Brunswick Pl. *SE19* 2K **7**
Brunswick Rd. *Sutt.* 6C **10**
Bruton Rd. *Mord.* 6D **4**
Bryanstone Ct. *Sutt.* 5D **10**
Buckfast Rd. *Mord.* 6C **4**
Buckhurst Av. *Cars.* 3F **11**
Buckingham Av. *T Hth.* 3D **6**
Buckingham Ct. *Sutt.* 3B **16**
Buckingham Gdns. *T Hth.* . . . 4D **6**
Buckingham Rd. *Mitc.* 6B **6**
Buckingham Way. *Wall.* 3K **17**
Buckland Wlk. *Mord* 6D **4**
Buckleigh Av. *SW20.* 5A **4**
Buckleigh Rd. *SW16* 1A **6**
Buckleigh Way. *SE19.* 2J **7**
Buckler's Way. *Cars.* 5G **11**
Buckles Way. *Bans.* 3A **22**
Bucknall Way. *Beck.* 6G **9**
Budge La. *Mitc.* 2G **11**
Buff Av. *Bans.* 1C **22**
Bug Hill. *Wold.* 7C **26**
Bulganak Rd. *T Hth.* 6F **7**
Buller Rd. *T Hth.* 4G **7**
Bullfinch Rd. *S Croy.* 4C **20**
Bullrush Clo. *Cars.* 4F **11**
Bullrush Clo. *Croy.* 1H **13**
Bungalow Rd. *SE25.* 6H **7**
Bungalows, The. *SW16* 2J **5**
Bungalows, The. *Wall.* 7J **11**
Bunting Clo. *Mitc.* 7G **5**
Burcott Rd. *Purl.* 1D **24**
Burdett Rd. *Croy* 1G **13**
Burdock Clo. *Croy.* 3C **14**
Burdon La. *Sutt.* 2A **16**
Burdon Pk. *Sutt.* 3A **16**
Burfield Dri. *Warl.* 6B **26**
Burford Rd. *Sutt.* 4B **10**
Burford Way. *New Ad* 1H **21**
Burgess M. *SW19* 1C **4**
Burgess Rd. *Sutt.* 6C **10**
Burgh Heath. 6A **22**

Burghley Pl. *Mitc* 7G **5**
Burgh Mt. *Bans* 2A **22**
Burgh Wood. *Bans* 2A **22**
Burgos Clo. *Croy* 1D **18**
Burgoyne Rd. *SE25* 6J **7**
Burham Clo. *SE20* 2B **8**
Burleigh Av. *Wall* 5H **11**
Burleigh Rd. *Sutt* 3A **10**
Burley Clo. *SW16* 4A **6**
Burlington Rd. *T Hth* 4F **7**
Burmarsh Ct. *SE20* 3B **8**
Burma Ter. *SE19* 1H **7**
Burnell Rd. *Sutt* 6C **10**
Burnham Gdns. *Croy* 2J **13**
Burnham Rd. *Mord* 6C **4**
Burnhill Rd. *Beck* 4F **9**
Burns Clo. *SW19* 1E **4**
Burns Clo. *Cars* 3H **17**
Burntwood Clo. *Cat* 7K **25**
Burntwood La. *Cat* 7K **25**
Burntwood Vw. *SE19* 1J **7**
Burrell Clo. *Croy* 1D **14**
Burrell Row. *Beck* 4F **9**
Burton Clo. *T Hth* 5G **7**
Burton Ct. *SE20* 4B **8**
Burwood Av. *Kenl* 1E **24**
Bury Gro. *Mord* 7C **4**
Bushey Clo. *Kenl* 3J **25**
Bushey La. *Sutt* 6B **10**
Bushey Rd. *Croy* 4F **15**
Bushey Rd. *Sutt* 6B **10**
Bushey Way. *Beck* 1J **15**
Bute Ct. *Wall* 7K **11**
Bute Gdns. *Wall* 7K **11**
Bute Gdns. W. *Wall* 7K **11**
Bute Rd. *Croy* 3D **12**
Bute Rd. *Wall* 6K **11**
Butlers Dene Rd. *Wold* 7E **26**
Butterfly Wlk. *Warl* 7B **26**
. . . . (in two parts)
Butter Hill. *Cars* 5H **11**
Buttermere Gdns. *Purl* 7G **19**
Buxton Av. *Cat* 7H **25**
Buxton La. *Cat* 7G **25**
Buxton Rd. *T Hth* 7E **6**
Byards Cft. *SW16* 3A **6**
Bycroft St. *SE20* 2C **8**
Byegrove Rd. *SW19* 1E **4**
Bygrove. *New Ad* 1G **21**
Byne Rd. *SE26* 1B **8**
Byne Rd. *Cars* 4F **11**
Bynes Rd. *S Croy* 2G **19**
Byron Av. *Coul* 2B **24**
Byron Av. *Sutt* 6E **10**
Byron Av. E. *Sutt* 6E **10**
Byron Clo. *SE20* 5A **8**
Byron Clo. *SW16* 1B **6**
Byron Gdns. *Sutt* 6E **10**
Byron Rd. *S Croy* 4A **20**
Byton Rd. *SW17* 1G **5**
Byway, The. *Sutt*. 3E **16**
Bywood Av. *Croy* 1B **14**
Bywood Clo. *Kenl* 2E **24**

C

Cadogan Clo. *Beck* 3J **9**
Cadogan Ct. *Sutt* 1C **16**
Caernarvon Clo. *Mitc* 5B **6**
Caesars Wlk. *Mitc* 7G **5**
Cairo New Rd. *Croy*
. . . . 4E **12** (3A **28**)
Caithness Rd. *Mitc* 2J **5**
Calder Rd. *Mord* 7D **4**
Caledon Rd. *Wall* 6H **11**
Calley Down Cres. *New Ad*
. . . . 4J **21**
Callow Fld. *Purl* 7D **18**
Calmont Rd. *Brom* 1J **9**
Calthorpe Gdns. *Sutt* 5D **10**
Calverley Clo. *Beck* 1G **9**
Camborne Rd. *Croy* 2K **13**
Camborne Rd. *Sutt* 2B **16**

Cambridge Gro. *SE20* 3A **8**
Cambridge Rd. *SE20* 3A **8**
Cambridge Rd. *Cars* 1F **17**
Cambridge Rd. *Mitc* 5K **5**
Camden Gdns. *Sutt* 7C **10**
Camden Gdns. *T Hth* 5E **6**
Camden Hill Rd. *SE19* 1H **7**
Camden Rd. *Cars* 6G **11**
Camden Rd. *Sutt* 7C **10**
Camden Way. *T Hth* 5E **6**
Cameron Rd. *Croy* 1E **12**
Cameron Sq. *Mitc* 3F **5**
Camomile Av. *Mitc* 3G **5**
Campbell Rd. *Cat* 7G **25**
Campbell Rd. *Croy* 2E **12**
Campden Rd. *S Croy* 7H **13**
Camperdown Ho. *Wall* 1J **17**
. . . . (off Stanley Pk. Rd.)
Campion Clo. *S Croy* 6H **13**
Camp Rd. *Wold* 7D **26**
Camrose Clo. *Croy* 2D **14**
Camrose Clo. *Mord* 6A **4**
Canal Wlk. *SE25* 1H **13**
CANE HILL FORENSIC MENTAL
HEALTH UNIT. 4K **23**
Canham Rd. *SE25* 5H **7**
Can Hatch. *Tad* 5A **22**
Canmore Gdns. *SW16* 2K **5**
Canning Rd. *Croy* 4J **13**
Cannon Hill La. *SW20* 5A **4**
Canons Hill. *Coul* 5D **24**
. . . . (in two parts)
Canons La. *Tad* 5A **22**
Canon's Wlk. *Croy* 5C **14**
Canterbury Clo. *Beck* 3G **9**
Canterbury Ho. *Croy* 1D **28**
Canterbury Rd. *Croy* 2C **12**
Canterbury Rd. *Mord* 2C **10**
Cantley Gdns. *SE19* 3J **7**
Capel Av. *Wall* 7C **12**
Capel Ct. *SE20* 3B **8**
Capital Ind. Est. *Mitc* 7G **5**
Capital Pl. *Croy* 7C **12**
Capri Rd. *Croy* 3J **13**
Caraway Pl. *Wall* 5J **11**
Carberry Rd. *SE19* 1H **7**
Cardigan Rd. *SW19* 1D **4**
Cardinal Av. *Mord* 1A **10**
Cardinal Clo. *Mord* 1A **10**
Cardinal Clo. *S Croy* 7K **19**
Carew Clo. *Coul* 6E **24**
Carew Ct. *Sutt* 3C **16**
Carew Manor & Dovecote.
. . . . 5K **11**
Carew Mnr. Cotts. *Wall* 5A **12**
Carew Rd. *Mitc* 4H **5**
Carew Rd. *T Hth* 6E **6**
Carew Rd. *Wall*. 1K **17**
Cargreen Pl. *SE25*. 6J **7**
Cargreen Rd. *SE25*. 6J **7**
Carisbrooke Ct. *Cheam* 2A **16**
Carisbrooke Rd. *Mitc* 6A **6**
Carleton Av. *Wall* 3A **18**
Carlingford Gdns. *Mitc*. 2G **5**
Carlisle Rd. *Sutt* 1A **16**
Carlisle Way. *SW17* 1H **5**
Carlton Av. *S Croy* 2H **19**
Carlton Ct. *SE20* 3A **8**
Carlton Rd. *S Croy* 1G **19**
Carlwell St. *SW17* 1F **5**
Carlyle Rd. *Croy* 4K **13**
Carlys Clo. *Beck*. 4C **8**
Carmichael Rd. *SE25* 7J **7**
Carnforth Rd. *SW16* 2A **6**
Carolina Rd. *T Hth* 4E **6**
Caroline Clo. *Croy* 6H **13**
Caroline Rd. *SW19* 2A **4**
Carriage Pl. *SW16* 1K **5**
Carrington Clo. *Croy*. 2D **14**
Carshalton. 6H **11**
Carshalton Athletic F.C. . . . 5F **11**
Carshalton Beeches. 3F **17**
Carshalton Gro. *Sutt*. 6E **10**

Carshalton on the Hill 2H **17**
Carshalton Pk. Rd. *Cars* 7G **11**
Carshalton Pl. *Cars*. 7H **11**
Carshalton Rd. *Bans*. 1G **23**
Carshalton Rd. *Mitc*. 6H **5**
Carshalton Rd. *Sutt & Cars*
CARSHALTON WAR MEMORIAL
HOSPITAL. 1G **17**
Carter Clo. *Wall* 2A **18**
Carter Rd. *SW19* 1E **4**
Cartmel Gdns. *Mord* 7D **4**
Cascades. *Croy*. 4E **20**
Cassland Rd. *T Hth* 6G **7**
Castle Clo. *Brom*. 5K **9**
Castledine Rd. *SE20*. 2A **8**
Castle Hill Av. *New Ad* 3G **21**
Castlemaine Av. *S Croy*. 7J **13**
Castle Rd. *Coul*. 7F **23**
Castleton. *Cars*. 5E **16**
Castleton Clo. *Bans*. 2B **22**
Castleton Clo. *Croy*. 1D **14**
Castleton Dri. *Bans*. 2B **22**
Castleton Rd. *Mitc*. 6A **6**
. . . . (in two parts)
Caterham By-Pass. *Cat*. 7A **26**
Caterham Clo. *Cat* 7H **25**
. . . . (in two parts)
Caterham Dri. *Coul*. 5E **24**
Cator Clo. *New Ad*. 5K **21**
Cator Cres. *New Ad*. 5K **21**
Cator La. *Beck*. 3E **8**
Cator Rd. *SE26*. 1C **8**
Cator Rd. *Cars*. 7G **11**
Causeway, The. *Cars*. 5H **11**
Causeway, The. *Sutt*. 3D **16**
Cavendish Rd. *SW19*. 2E **4**
Cavendish Rd. *Croy*. 3E **12**
Cavendish Way. *W Wick*. 3G **15**
Cawnpore St. *SE19*. 1H **7**
Caxton Rd. *SW19*. 1D **4**
Cayley Clo. *Wall*. 2B **18**
Cearn Way. *Coul*. 2C **24**
Cecil Pl. *Mitc*. 7G **5**
Cecil Rd. *SW19*. 2C **4**
Cecil Rd. *Croy*. 1B **12**
Cecil Rd. *Sutt*. 1A **16**
Cedar Clo. *SW15*. 1G **17**
Cedar Clo. *Warl*. 6D **26**
Cedar Ct. *Sutt*. 1D **16**
Cedar Gdns. *Sutt*. 1D **16**
Cedarhurst. *Brom*. 2K **9**
Cedar Pk. *Cat*. 7H **25**
Cedar Rd. *Croy* 4G **13** (2E **28**)
Cedar Rd. *Sutt*. 1D **16**
Cedars. *Bans*. 1G **23**
Cedars Av. *Mitc*. 6H **5**
Cedars Av. *Beck*. 4D **8**
Cedars Rd. *Croy*. 5B **12**
Cedars Rd. *Mord*. 6B **4**
Cedars, The. *Wall*. 6K **11**
Cedarville Gdns. *SW16*. 1C **6**
Cedar Wlk. *Kenl*. 3F **25**
Cedar Wlk. *Kgswd*. 7A **22**
Celtic Av. *Brom*. 5K **9**
Central Av. *Wall*. 7B **12**
Central Gdns. *Mord*. 7C **4**
Central Hill. *SE19*. 1F **7**
Central Pde. SE20. . . . . . . 2C **8**
. . . . (off High St.)
Central Pde. *New Ad* 4H **21**
Central Pl. *SE25*. 7K **7**
Central Rd. *Mord*. 1B **10**
Central Ter. *Beck*. 5C **8**
Central Way. *Cars*. 2F **17**
Centre Ct. Shop. Cen. *SW19*
. . . . 1A **4**
Centurion Ct. *Hack*. 4J **11**
Cerne Rd. *Mord*. 1D **10**
Chadwick Av. *SW19*. 1B **4**
Chaffinch Av. *Croy*. 1C **14**
Chaffinch Bus. Pk. *Beck*. . . . 6C **8**
Chaffinch Clo. *Croy*. 7C **8**

Chaffinch Rd. *Beck* 3D **8**
Chalcot Clo. *Sutt* 2B **16**
Chaldon Ct. *SE19*. 3G **7**
Chaldon Way. *Coul*. 4B **24**
Chale Wlk. *Sutt* 3C **16**
Chalfont Rd. *SE25*. 5J **7**
Chalgrove Av. *Mord* 7B **4**
Chalgrove Rd. *Sutt*. 2E **16**
Chalice Clo. *Wall* 1A **18**
Chalkenden Clo. *SE20* 2A **8**
Chalkley Clo. *Mitc*. 4G **5**
Chalk Pit Rd. *Bans*. 4B **22**
Chalk Pit Way. *Sutt*. 1D **16**
Challin St. *SE20*. 3B **8**
Chalmers Rd. *Bans*. 2E **22**
Chamberlain Cres. *W Wick*
. . . . 3G **15**
Chambers Pl. *S Croy*. 2G **19**
Champneys Clo. *Sutt*. 2A **16**
Chancellor Gdns. *S Croy*. . . . 3E **18**
Chancery La. *Beck*. 4G **9**
Chanctonbury Gdns. *Sutt*. . . . 2C **16**
Chandon Lodge. *Sutt*. 2D **16**
Chantry Ct. *Cars*. 5F **11**
Chantry Way. *Mitc*. 5E **4**
Chapel Rd. *Warl*. 5C **26**
Chapel Vw. *S Croy*. 1B **20**
Chapel Wlk. *Croy* 4F **13** (2B **28**)
Chapman Rd. *Croy*. 3D **12**
Charing Ct. *Brom*. 4K **9**
Charles Cobb Gdns. *Croy*. . . . 7D **12**
Charles Rd. *SW19*. 3B **4**
Charles St. *Croy*. 5F **13** (4B **28**)
Charlmont Rd. *SW17*. 1F **5**
Charlotte Rd. *Wall* 1K **17**
Charlton Gdns. *Coul*. 5K **23**
Charlwood. *Croy*. 3E **20**
Charlwood Sq. *Mitc*. 5E **4**
Charminster Av. *SW19*. 4B **4**
Charnwood Av. *SW19*. 4B **4**
Charnwood Rd. *SE25*. 7G **7**
Charrington Rd. *Croy*
. . . . 4F **13** (2B **28**)
Chart Clo. *Brom*. 3K **9**
Chart Clo. *Croy*. 1B **14**
Chart Clo. *Mitc*. 6G **5**
Charter Ho. Sutt. 1C **16**
. . . . (off Mulgrave Rd.)
Chartham Rd. *SE25*. 5A **8**
Chartwell Clo. *Croy*. 3G **13**
Chartwell Gdns. *Sutt*. 5A **10**
Chartwell Lodge. *Beck*. 2F **9**
Chartwell Pl. *Sutt*. 5A **10**
Chartwell Way. *SE20*. 3A **8**
Chaseley Dri. *S Croy*. 4G **19**
Chasemore Clo. *Mitc*. 2G **11**
Chasemore Gdns. *Croy*. 7D **12**
Chase, The. *SW16*. 2C **6**
Chase, The. *SW20*. 3A **4**
Chase, The. *Coul*. 1K **23**
Chase, The. *Kgswd*. 7D **22**
Chase, The. *Wall* 7B **12**
Chatfield Rd. *Croy*. . . 3E **12** (1A **28**)
Chatham Clo. *Sutt*. 2A **10**
Chatsworth Av. *SW20*. 3A **4**
Chatsworth Clo. *W Wick*. . . . 4K **15**
Chatsworth Pl. *Mitc*. 5G **5**
Chatsworth Rd. *Croy*
. . . . 6G **13** (6E **28**)
Chaucer Gdns. *Sutt*. 5B **10**
. . . . (in two parts)
Chaucer Grn. *Croy*. 2A **14**
Chaucer Ho. Sutt. 5B **10**
. . . . (off Chaucer Gdns.)
Chaucer Rd. *Sutt*. 6B **10**
Chaucer Rd. *SW19*. 1D **4**
Chaucer Way. *SW19*. 1D **4**
Cheam. 1A **16**
Cheam Mans. *Sutt*. 2A **16**
Cheam Rd. *Sutt*. 1A **16**
Chelmsford Clo. *Sutt*. 3B **16**
Chelsea Gdns. *Sutt*. 6A **10**
Chelsham. 4F **27**
Chelsham Clo. *Warl*. 5D **26**
Chelsham Common. 3F **27**

Chelsham Comn. Rd. *Warl*
. . . . 4F **27**
Chelsham Ct. Rd. *Warl* 5J **27**
Chelsham Rd. *S Croy* 2G **19**
Chelsham Rd. *Warl.* 5E **26**
Chelwood Clo. *Coul* 6K **23**
Chepstow Ri. *Croy* 5H **13**
Chepstow Rd. *Croy* 5H **13**
Cherry Clo. *Cars.* 4G **11**
Cherry Clo. *Mord* 6A **4**
Cherry Hill Gdns. *Croy* 6C **12**
Cherry Orchard Gdns. *Croy*
. . . . 3G **13** (2E **28**)
Cherry Orchard Rd. *Croy*
. . . . 4G **13** (1E **28**)
Cherry Tree Ct. *Coul* 5C **24**
Cherry Tree Grn. *S Croy* 1A **26**
Cherry Tree Wlk. *Beck* 6E **8**
Cherrywood La. *Mord.* 6A **4**
Chertsey Clo. *Kenl* 2E **24**
Chertsey Cres. *New Ad* 4H **21**
Chertsey Dri. *Sutt.* 4A **10**
Chesham Clo. *Sutt* 4A **16**
Chesham Cres. *SE20* 3B **8**
Chesham Rd. *SE20* 4B **8**
Chesham Rd. *SW19* 1E **4**
Cheshire Clo. *Mitc* 5B **6**
Cheshire Ho. *Mord* 2C **10**
Chesney Cres. *New Ad* 2H **21**
Chessell Clo. *T Hth* 6E **6**
Chessington Way. *W Wick*
. . . . 4G **15**
Chester Clo. *Sutt* 4B **10**
Chester Gdns. *Mord.* 1D **10**
Chesterton Ho. *Croy.* 7D **28**
Chestnut Av. *W Wick* 7K **15**
Chestnut Clo. *Cars.* 3G **11**
Chestnut Ct. *S Croy* 7B **28**
Chestnut Gro. *SE20* 2A **8**
Chestnut Gro. *Mitc.* 7A **6**
Chestnut Gro. *S Croy* 2A **20**
Chestnut Ter. *Sutt.* 6C **10**
Cheston Av. *Croy.* 4D **14**
Chevening Rd. *SE19.* 1G **7**
Cheverells. 2G **27**
Cheviot Clo. *Bans.* 2C **22**
Cheviot Clo. *Sutt.* 3E **16**
Cheyham Way. *Sutt* 4A **16**
Cheyne Ct. *Bans.* 2C **22**
Cheyne Wlk. *Croy.* 4K **13**
Chichele Gdns. *Croy.* 6H **13**
Chichester Dri. *Purl* 6C **18**
Chichester Rd. *Croy.* 5H **13**
Chiddingstone Clo. *Sutt* 4B **16**
Child's La. *SE19.* 1H **7**
Chillerton Rd. *SW17.* 1H **5**
Chilmark Rd. *SW16* 4A **6**
Chiltern Clo. *Croy.* 5H **13**
Chiltern Rd. *Sutt.* 3C **16**
Chilterns, The. *Sutt.* 3C **16**
Chiltons Clo. *Bans.* 2C **22**
Chilworth Gdns. *Sutt* 5D **10**
Chingley Clo. *Brom* 1K **9**
Chipstead. 5G **23**
Chipstead Av. *T Hth* 6E **6**
Chipstead Bottom. 7E **22**
Chipstead Clo. *SE19.* 2J **7**
Chipstead Clo. *Coul* 3H **23**
Chipstead Clo. *Sutt.* 3C **16**
Chipstead Rd. *Bans.* 4A **22**
. . . . (in two parts)
Chipstead Valley Rd. *Coul.* . . 3H **23**
Chipstead Way. *Bans* 3G **23**
Chisholm Rd. *Croy.* 4H **13**
Chislet Clo. *Beck.* 2F **9**
Chiswick Clo. *Croy.* 5C **12**
Chive Clo. *Croy.* 3C **14**
Christchurch Clo. *SW19.* 2E **4**
Christchurch Pk. *Sutt.* 2D **16**
Christchurch Rd. *SW19.* 2E **4**
Christ Chu. Rd. *Beck.* 4F **9**
Christchurch Rd. *Purl.* 5E **18**
Christian Fields. *SW16.* 2D **6**
Christie Dri. *Croy.* 7K **7**

Chudleigh Gdns. *Sutt.* 5D **10**
Church All. *Croy.* 3D **12**
Church Av. *Beck.* 3F **9**
Church Dri. *W Wick* 5K **15**
Church Farm La. *Sutt* 1A **16**
Churchfields Rd. *Beck.* 4C **8**
Church Hill. *SW19* 1A **4**
Church Hill. *Cars.* 7G **11**
Church Hill. *Purl.* 4B **18**
Church Hill Rd. *Sutt* 7A **10**
Churchill Av. *Warl* 4B **26**
Churchill Rd. *S Croy* 3F **19**
Church La. *SW17.* 1G **5**
Church La. *SW19.* 3A **4**
Church La. *Chel* 3G **27**
Church La. *Wall.* 5A **12**
Church La. *Warl.* 4C **26**
Churchmore Rd. *SW16*
. . . . 3K **5**
Chu. Paddock Ct. *Wall* 5A **12**
Church Path. *SW19* 4A **4**
. . . . (in two parts)
Church Path. *Coul* 5D **24**
Church Path. *Croy*
. . . . 4F **13** (2B **28**)
Church Path. *Mitc.* 3H **11**
. . . . (in two parts)
Church Pl. *Mitc.* 5F **5**
Church Rd. *SE19.* 3H **7**
Church Rd. *SW19 & Mitc.* 3E **4**
Church Rd. *Croy.* 5F **13** (3A **28**)
. . . . (in two parts)
Church Rd. *Kenl.* 2G **25**
Church Rd. *Purl.* 4B **18**
Church Rd. *Short.* 5K **9**
Church Rd. *Wall.* 5A **12**
Church Rd. *Warl.* 4C **26**
Church Rd. *Whyt.* 5J **25**
Church St. *Croy.* 5E **13** (4A **28**)
Church St. *Sutt.* 7C **10**
Church Wlk. *SW16.* 4K **5**
Church Way. *S Croy* 4J **19**
Cinnamon Clo. *Croy.* 2B **12**
Cintra Pk. *SE19* 2J **7**
Circle Gdns. *SW19.* 4B **4**
Cirrus Clo. *Wall* 2B **18**
City Ho. *Wall* 3H **11**
. . . . (off Corbet Clo.)
Claremont Clo. *S Croy* 2A **26**
Claremont Rd. *Croy.* 3K **13**
Clarence Rd. *SW19* 1C **4**
Clarence Rd. *Croy.* 2G **13**
Clarence Rd. *Sutt.* 7C **10**
Clarence Rd. *Wall.* 7J **11**
Clarendon Ct. Beck. 3G **9**
. . . . (off Albemarle Rd.)
Clarendon Gro. *Mitc.* 5G **5**
Clarendon Rd. *SW19* 2F **5**
Clarendon Rd. *Croy*
. . . . 4E **12** (2A **28**)
Clarendon Rd. *Wall.* 1K **17**
Claret Gdns. *SE25* 5H **7**
Clarice Way. *Wall* 3B **18**
Clay Av. *Mitc* 4J **5**
Claybourne M. *SE19.* 2H **7**
Claydon Dri. *Croy.* 6B **12**
Claygate Cres. *New Ad* 1H **21**
Claymore Clo. *Mord* 2B **10**
Cleave Prior. *Coul* 6F **23**
Cleaverholme Clo. *SE25* 1A **14**
Clement Clo. *Purl* 3E **24**
Clement Rd. *Beck.* 4C **8**
Clensham Ct. *Sutt* 4B **10**
Clensham La. *Sutt* 4B **10**
Clevedon Ct. *S Croy* 7H **13**
Clevedon Rd. *SE20.* 3C **8**
Cleveland Av. *SW20* 4A **4**
Cleves Cres. *New Ad* 5H **21**
Cliff End. *Purl.* 6E **18**
Cliffe Rd. *S Croy* 7G **13**
Cliffe Wlk. Sutt. 7D **10**
. . . . (off Greyhound Rd.)
Clifford Av. *Wall.* 6K **11**
Clifford Rd. *SE25* 6K **7**

Clifton Av. *Sutt.* 5C **16**
Clifton Ct. *Beck.* 3G **9**
Clifton Pl. *Bans.* 2B **22**
Clifton Rd. *SE25* 6H **7**
Clifton Rd. *Coul* 2J **23**
Clifton Rd. *Wall* 7J **11**
Cliveden Rd. *SW19* 3A **4**
Clock House. 1J **23**
Clockhouse Ct. *Beck.* 4D **8**
Clock Ho. Rd. *Beck.* 5D **8**
Cloister Gdns. *SE25* 1A **14**
Close, The. *SE25* 1K **13**
Close, The. *Beck.* 6D **8**
Close, The. *Cars.* 3F **17**
Close, The. *Mitc.* 6G **5**
Close, The. *Purl.* 4E **18**
. . . . (Pampisford Rd.)
Close, The. *Purl.* 4C **18**
. . . . (Russell Hill)
Close, The. *Sutt.* 2A **10**
Clouston Clo. *Wall.* 7B **12**
Clovelly Av. *Warl.* 6A **26**
Clovelly Gdns. *SE19.* 3J **7**
Clover Way. *Wall.* 3H **11**
Clowser Clo. *Sutt.* 7D **10**
Clyde Av. *S Croy.* 2A **26**
Clyde Rd. *Croy.* 4J **13**
Clyde Rd. *Sutt.* 7B **10**
Clyde Rd. *Wall.* 1K **17**
Coach Ho. M. *SE20.* 2A **8**
Cobblestone Pl. *Croy*
. . . . 3F **13** (1B **28**)
Cobden M. *SE26* 1A **8**
Cobden Rd. *SE25.* 7K **7**
Cobham Clo. *Wall.* 1B **18**
Cobham Ct. *Mitc.* 4E **4**
Cochrane Rd. *SW19.* 2A **4**
Cody Clo. *Wall* 2A **18**
Coe Av. *SE25* 1K **13**
Colburn Way. *Sutt* 5E **10**
Colby Rd. *SE19* 1H **7**
Colcokes Rd. *Bans.* 3B **22**
Cold Blows. *Mitc.* 5G **5**
Coldharbour La. *Purl.* 5D **18**
Coldharbour Rd. *Croy.* 7D **12**
Coldharbour Way. *Croy* 7D **12**
Colebrooke Ri. *Brom* 4K **9**
Colebrook Rd. *SW16* 3B **6**
Coleman Clo. *SE25.* 4K **7**
Coleridge Av. *Sutt.* 6F **11**
Coleridge Rd. *Croy.* 2B **14**
Colesburg Rd. *Beck.* 5E **8**
Colescroft Hill. *Purl.* 2D **24**
Colin Clo. *Croy.* 5E **14**
Colin Clo. *W Wick* 5K **15**
College Fields Bus. Cen. *SW19*
. . . . 3E **4**
College Grn. *SE19* 2H **7**
College Rd. *SW19* 1E **4**
College Rd. *Croy.* . . . 4G **13** (3D **28**)
Colliers Ct. *Croy.* 6D **28**
Colliers Water La. *T Hth.* 7D **6**
Collier's Wood. 2E **4**
Colliers Wood. (Junct.) 2E **4**
Collingwood Clo. *SE20.* 3A **8**
Collingwood Rd. *Mitc.* 5F **5**
Collingwood Rd. *Sutt.* 5B **10**
Collyer Av. *Croy.* 6B **12**
Collyer Rd. *Croy.* 6B **12**
Colmer Rd. *SW16* 3B **6**
Colonnades, The. *Croy.* 1D **18**
Colson Rd. *Croy.* 4H **13**
Colston Av. *Cars.* 6F **11**
Colston Ct. Cars. 6G **11**
. . . . (off West St.)
Coltsfoot Pl. *Hook* 1A **26**
Columbine Av. *S Croy* 2E **18**
Colvin Rd. *T Hth* 7D **6**
Colwood Gdns. *SW19.* 2E **4**
Colworth Rd. *Croy.* 3K **13**
Combe Dene. *Brom* 6K **9**
. . . . (off Cumberland Rd.)
Combermere Rd. *Mord.* 1C **10**

Commerce Way. *Croy.* 4C **12**
Commonfield Rd. *Bans.* 1B **22**
Commonside Clo. *Coul.* 7E **24**
Commonside Clo. *Sutt.* 5C **16**
Commonside E. *Mitc.* 5H **5**
. . . . (in two parts)
Commonside W. *Mitc.* 5G **5**
Comport Grn. *New Ad* 6K **21**
Compton Ct. *SE19.* 1H **7**
Compton Ct. *Sutt.* 6D **10**
Compton Rd. *SW19.* 1A **4**
Compton Rd. *Croy.* 3A **14**
Conduit La. *S Croy.* 7K **13**
. . . . (in two parts)
Coneybury Clo. *Warl.* 6A **26**
Coney Hall. 6K **15**
Coney Hall Pde. *W Wick.* 5K **15**
Coney Hill Rd. *W Wick.* 4K **15**
Conifer Gdns. *Sutt.* 4C **10**
Coningsby Rd. *S Croy* 3F **19**
Coniston Gdns. *Sutt.* 1E **16**
Coniston Rd. *Brom* 1K **9**
Coniston Rd. *Coul* 3K **23**
Coniston Rd. *Croy.* 2K **13**
Connaught Bus. Cen. *Mitc* . . . 7G **5**
Connaught Clo. *Sutt.* 4E **10**
Connaught Gdns. *Mord.* 6D **4**
Connaught Rd. *Sutt.* 4E **10**
Connolly Pl. *SW19.* 1D **4**
Constance Rd. *Croy.* 2E **12**
Constance Rd. *Sutt.* 6D **10**
Convent Clo. *Beck.* 2H **9**
Convent Hill. *SE19.* 1F **7**
Conway Dri. *Sutt.* 1C **16**
Conway Gdns. *Mitc.* 6B **6**
Conyer's Rd. *SW16* 1A **6**
Coombe Av. *Croy.* 6H **13**
Coombe Ct. *Croy.* 6D **28**
Coombe La. *Croy.* 7A **14**
Coombe Rd. *Croy*
. . . . 6G **13** (6C **28**)
Coomber Way. *Croy.* 2A **12**
. . . . (in two parts)
Coombe Wlk. *Sutt.* 5C **10**
Coombe Wood Hill. *Purl.* 7F **19**
Cooper Cres. *Cars.* 5G **11**
Cooper Rd. *Croy.* 6E **12** (7A **28**)
Cooper's Yd. *SE19.* 1H **7**
Copeman Clo. *SE26.* 1B **8**
Copers Cope Rd. *Beck.* 2E **8**
Copgate Path. *SW16* 1C **6**
Copley Pk. *SW16.* 1C **6**
Copper Clo. *SE19.* 2J **7**
Copperfield Clo. *S Croy* 5F **19**
Copperfields. *Beck.* 3H **9**
Coppice Clo. *Beck.* 6G **9**
Copping Clo. *Croy.* 6H **13**
Coppins, The. *New Ad* 1G **21**
Copse Av. *W Wick.* 5G **15**
Copse Hill. *Purl.* 7B **18**
Copse Hill. *Sutt.* 2C **16**
Copse Vw. *S Croy* 3C **20**
Copt Hill La. *Tad* 7A **22**
Copthorne Ri. *S Croy.* 7G **19**
Corbet Clo. *Wall.* 3H **11**
Corbett Clo. *Croy.* 6J **21**
Cordrey Gdns. *Coul* 2B **24**
. . . . (in two parts)
Corkscrew Hill. *W Wick.* 4H **15**
Cormorant Pl. *Sutt.* 7A **10**
Cornerstone Ho. *Croy.* 2F **13**
Cornflower La. *Croy.* 3C **14**
Cornish Gro. *SE20.* 3A **8**
Cornwall Gdns. *SE25* 6J **7**
Cornwall Rd. *Croy*
. . . . 4E **12** (2A **28**)
Cornwall Rd. *Sutt.* 2A **16**
Corrib Dri. *Sutt.* 7F **11**
Corrigan Av. *Coul.* 2H **23**
Corsehill St. *SW16.* 1K **5**
Cosdach Av. *Wall.* 2A **18**
Cosedge Cres. *Croy*
. . . . 7D **12** (7A **28**)
Cotelands. *Croy.* 5H **13**

Cotford Rd. *T Hth* 6F 7
Cotswold Rd. *Sutt* 4C 16
Cottingham Rd. *SE20* 2C 8
Cottongrass Clo. *Croy.* 3C 14
Coulsdon. 3A 24
Coulsdon Ct. Rd. *Coul* 3C 24
Coulsdon La. *Coul* 6G 23
Coulsdon Ri. *Coul* 4B 24
Coulsdon Rd. *Coul & Cat* . . 2C 24
Coulthurst Ct. *SW16.* 2B 6
(off Heybridge Av.)
County Rd. *T Hth* 4E 6
Court Av. *Coul* 5D 24
Court Bushes Rd. *Whyt* . . . 6K 25
Court Clo. *Wall.* 2A 18
Court Downs Rd. *Beck* 4G 9
Court Dri. *Croy.* 6C 12
Court Dri. *Sutt* 6F 11
Courtenay Av. *Sutt* 3B 16
Courtenay Dri. *Beck* 4J 9
Courtenay Rd. *SE20* 1C 8
Court Farm Pk. *Warl* 3K 25
Court Farm Rd. *Warl.* 5K 25
Courtfield Ri. *W Wick* 5J 15
Court Haw. *Bans.* 2F 23
Court Hill. *Coul.* 5F 23
Court Hill. *S Croy.* 6H 19
Courthope Vs. *SW19* 2A 4
Courtland Av. *SW16.* 2C 6
Courtlands Av. *Brom* 3K 15
Courtlands Clo. *S Croy* 4J 19
Courtlands Cres. *Bans* 2B 22
Courtney Clo. *SE19* 1H 7
Courtney Cres. *Cars* 2G 17
Courtney Pl. *Croy.* 5D 12
Courtney Rd. *Croy.* 5D 12
Courtney Rd. *SW19* 2F 5
Court Rd. *SE25.* 4J 7
Court Rd. *Bans.* 3B 22
Court, The. *Warl.* 5D 26
Coventry Hall. *SW16* 1B 6
Coventry Rd. *SE25.* 6K 7
Coverack Clo. *Croy.* 2D 14
Coverdale Gdns. *Croy.* 5J 13
Covert, The. *SE19.* 2J 7
(off Fox Hill)
Covey Clo. *SW19.* 4C 4
Covington Gdns. *SW16.* 2E 6
Covington Way. *SW16* 1C 6
(in two parts)
Cowdrey Rd. *SW19* 1C 4
Cowley Clo. *S Croy.* 3B 20
Cowper Av. *Sutt.* 6E 10
Cowper Gdns. *Wall.* 1K 17
Cowper Rd. *SW19* 1D 4
Coxley Ri. *Purl* 7F 19
Coxwell Rd. *SE19.* 2H 7
Crab Hill. *Beck* 2J 9
Crabtree Wlk. *Croy.* 3K 13
Craigen Av. *Croy.* 3A 14
Craignish Av. *SW16* 4C 6
Crampton Rd. *SE20* 1B 8
Cranbourne Clo. *SW16.* 5B 6
Cranbrook Rd. *T Hth.* 4F 7
Cranfield Rd. E. *Cars* 3H 17
Cranfield Rd. W. *Cars* 3G 17
Cranford Clo. *Purl.* 7F 19
Cranleigh Clo. *SE20* 4A 8
Cranleigh Clo. *S Croy* 6K 19
Cranleigh Ct. *Mitc.* 5E 4
Cranleigh Gdns. *SE25* 5H 7
Cranleigh Gdns. *S Croy* 6K 19
Cranleigh Gdns. *Sutt* 4C 10
Cranleigh Rd. *SW19.* 5B 4
Cranley Gdns. *Wall.* 2K 17
Cranmer Clo. *Warl* 4D 26
Cranmer Farm Clo. *Mitc.* . . . 6G 5
Cranmer Gdns. *Warl.* 4D 26
Cranmer Rd. *Croy*
. . . . 5E 12 (4A 28)
Cranmer Rd. *Mitc.* 6G 5
Craven Gdns. *SW19* 1B 4
Craven Rd. *Croy.* 3A 14

Credenhill St. *SW16* 1K 5
Crescent Gro. *Mitc* 6F 5
Crescent Rd. *Beck* 4G 9
Crescent, The. *Beck* 3F 9
Crescent, The. *Belm* 5B 16
Crescent, The. *Croy* 1G 13
Crescent, The. *Sutt.* 7E 10
Crescent, The. *W Wick* 1K 15
Crescent Way. *SW16* 1C 6
Cressingham Gro. *Sutt.* 6D 10
Cresswell Rd. *SE25* 6K 7
Crest Rd. *Brom* 2K 15
Crest Rd. *S Croy* 2A 20
Crewe's Av. *Warl* 3B 26
Crewe's Clo. *Warl* 4B 26
Crewe's Farm La. *Warl* 3C 26
Crewe's La. *Warl* 3B 26
(in two parts)
Crichton Av. *Wall* 7A 12
Crichton Rd. *Cars.* 1G 17
Cricketers Ter. *Cars.* 5F 11
Cricket Grn. *Mitc.* 5G 5
Cricket La. *Beck.* 1D 8
Crispin Clo. *Croy.* 4B 12
Crispin Cres. *Croy.* 5A 12
Crocus Clo. *Croy.* 3C 14
Croft Av. *W Wick.* 3H 15
Crofters Mead. *Croy.* 3E 20
Croftleigh Av. *Purl.* 3D 24
Croft Rd. *SW16.* 3D 6
Croft Rd. *SW19.* 2D 4
Croft Rd. *Sutt.* 7F 11
Croftside, The. *SE25.* 5K 7
Croham Clo. *S Croy.* 2H 19
Croham Mnr. Rd. *S Croy* . . . 2H 19
Croham Mt. *S Croy.* 2H 19
Croham Pk. Av. *S Croy.* 7H 13
Croham Rd. *S Croy* 7G 13
Croham Valley Rd. *S Croy*
. . . . 1K 19
Croindene Rd. *SW16* 3B 6
Cromerhyde. *Mord.* 7C 4
Cromer Rd. *SE25.* 5A 8
Cromer Rd. *SW17.* 1H 5
Cromwell Gro. *Cat* 7F 25
Cromwell Ho. *Croy*
. . . . 5E 12 (5A 28)
Cromwell Rd. *SW19.* 1B 4
Cromwell Rd. *Beck.* 4D 8
Cromwell Rd. *Cat* 7F 25
Cromwell Rd. *Croy.* 2G 13
Crossland Rd. *T Hth* 1E 12
Cross Rd. *SW19* 2B 4
Cross Rd. *Belm* 4B 16
Cross Rd. *Croy* . . . 3G 13 (1E 28)
Cross Rd. *Purl* 7E 18
Cross Rd. *Sutt.* 7E 10
Crossways. *S Croy.* 2D 20
Crossways. *Sutt.* 3E 16
Crossways Rd. *Beck.* 6F 9
Crossways Rd. *Mitc.* 5J 5
Crossways, The. *Coul.* 6C 24
Crouch Clo. *Beck.* 1F 9
Crowborough Clo. *Warl* 5D 26
Crowborough Dri. *Warl.* 5D 26
Crowborough Rd. *SW17* 1H 5
Crowland Rd. *T Hth* 6G 7
Crowland Wlk. *Mord.* 1C 10
Crowley Cres. *Croy.* 7D 12
Crownbourne Ct. *Sutt.* 6C 10
(off St Nicholas Way)
Crown Dale. *SE19.* 1E 6
Crown Hill. *Croy.* . . 4F 13 (3B 28)
Crown La. *SW16* 1D 6
Crown La. *Mord.* 6B 4
Crown La. Gdns. *SW16* 1D 6
Crown Pde. *SE19.* 1E 6
Crown Pde. *Mord.* 5B 4
Crown Rd. *Mord* 6C 4
Crown Rd. *Sutt* 6C 10
Crowther Rd. *SE25.* 7K 7
Croxden Wlk. *Mord* 1D 10
Croydon. 4F 13 (3C 28)
Croydon Clock Tower 4C 28

Croydon Crematorium. *Croy*
. . . . 7C 6
Croydon Flyover, The. *Croy*
. . . . 5F 13 (6A 28)
Croydon Gro. *Croy.* 1E 12
Croydon La. *Bans.* 1C 22
Croydon La. S. *Bans.* 1D 22
Croydon Rd. *SE20* 4A 8
Croydon Rd. *Beck.* 6C 8
Croydon Rd. *Cat.* 7A 26
Croydon Rd. *Mitc & Croy.* . . 6H 5
Croydon Rd. *Wall & Croy* . . 6J 11
Croydon Rd. *W Wick & Brom*
. . . . 5K 15
Croydon Rd. Ind. Est. *Beck.* . 6C 8
Crozier Dri. *S Croy.* 4A 20
Crunden Rd. *S Croy* 2G 19
Crusader Gdns. *Croy* 5H 13
Crusoe Rd. *Mitc.* 2G 5
Crystal Palace. 1J 7
Crystal Palace F.C. (Selhurst Pk.)
. . . . 6H 7
Crystal Palace Mus. 1J 7
Crystal Palace National Sports
Cen. 1K 7
Crystal Pal. Pde. *SE19* 1J 7
Crystal Pal. Pk. Rd. *SE26* . . . 1A 8
Crystal Pal. Sta. Rd. *SE19* . . 1K 7
Crystal Ter. *SE19* 1G 7
Cubitt St. *Croy.* 7C 12
Cuddington Pk. Clo. *Bans.* . . 7A 16
Cuddington Way. *Sutt.* 5A 16
Cudham Clo. *Belm* 4B 16
Cudham Dri. *New Ad* 4H 21
Culesden Rd. *Kenl* 2E 24
Culmington Rd. *S Croy* 3F 19
Culvers Av. *Cars.* 4G 11
Culvers Retreat. *Cars* 3G 11
Culverstone Clo. *Brom* 1K 15
Culvers Way. *Cars.* 4G 11
Cumberland Ct. *Croy*
. . . . 3G 13 (1E 28)
Cumberland Rd. *SE25* 1A 14
Cumberland Rd. *Brom* 6K 9
Cumberlands. *Kenl.* 2G 25
Cumberlow Av. *SE25* 5J 7
Cumnor Ri. *Kenl.* 4F 25
Cumnor Rd. *Sutt.* 1D 16
Cunliffe St. *SW16.* 1K 5
Cunningham Clo. *W Wick.* . . 4G 15
Cunningham Rd. *Bans.* 2E 22
Curlew Clo. *S Croy.* 5C 20
Curling Clo. *Coul* 7C 24
Curran Av. *Wall.* 5H 11
Curzon Rd. *T Hth.* 1D 12
Cuthbert Gdns. *SE25* 5H 7
Cuthbert Rd. *Croy.* . . 4E 12 (3A 28)
Cypress Rd. *SE25* 4H 7

D

Dacre Rd. *Croy* 2B 12
Daffodil Clo. *Croy.* 3C 14
Dagmar Rd. *SE25.* 7H 7
Dagnall Pk. *SE25.* 1H 13
Dagnall Rd. *SE25.* 7H 7
Dahlia Gdns. *Mitc.* 6A 6
Dahomey Rd. *SW16.* 1K 5
Daimler Way. *Wall* 2B 18
Dairy Clo. *T Hth* 4F 7
Daisy Clo. *Croy.* 3C 14
Dakota Clo. *Wall.* 2C 18
Dalegarth Gdns. *Purl* 7G 19
Dale Pk. Av. *Cars* 4G 11
Dale Pk. Rd. *SE19* 3F 7
Dale Rd. *Purl* 6D 18
Dale Rd. *Sutt.* 6A 10
Dallas Rd. *Sutt.* 1A 16
Dalmally Rd. *Croy.* 2J 13
Dalmeny Av. *SW16* 4D 6
Dalmeny Rd. *Cars* 2H 17
Dalton Av. *Mitc.* 4F 5
Dalton Clo. *Purl* 6F 19

Danbrook Rd. *SW16* 3B 6
Danbury M. *Wall* 6J 11
Danebury. *New Ad* 1H 21
Danecourt Gdns. *Croy.* 5J 13
Dane Rd. *SW19.* 3D 4
Dane Rd. *Warl* 4C 26
Danescourt Cres. *Sutt* 4D 10
Daniel Clo. *SW17.* 1F 5
Daniell Way. *Croy.* 3B 12
Daniels La. *Warl.* 3E 26
Daniel Way. *Bans.* 1C 22
Darcy Av. *Wall* 6K 11
Darcy Clo. *Coul* 6E 24
Darcy Rd. *SW16.* 4B 6
Dargate Clo. *SE19.* 2J 7
Darley Clo. *Croy.* 1D 14
Darley Gdns. *Mord.* 1D 10
Darmaine Clo. *S Croy.* 2F 19
Dartnell Rd. *Croy.* 2J 13
Davenant Rd. *Croy*
. . . . 6E 12 (6A 28)
Davidson Rd. *Croy.* 3H 13
Davies Clo. *Croy.* 1J 13
Daybrook Rd. *SW19.* 4C 4
Days Acre. *S Croy* 4J 19
Deacon Clo. *Purl* 3B 18
Deal Rd. *SW17.* 1H 5
Deanfield Gdns. *Croy*
. . . . 6G 13 (7D 28)
Dean Rd. *Croy* . . . 6G 13 (7D 28)
Deans Clo. *Croy.* 5J 13
Deans Rd. *Sutt.* 5C 10
Dean's Wlk. *Coul* 5D 24
Dearn Gdns. *Mitc.* 5F 5
De Burgh Pk. *Bans.* 2C 22
De Burgh Rd. *SW19* 2D 4
Decimus Clo. *T Hth.* 6G 7
Deepdale Ct. *S Croy.* 6E 28
Deepdene Av. *Croy.* 5J 13
Deepfield Way. *Coul.* 3B 24
Deerhurst Rd. *SW16.* 1C 6
Deer Pk. Gdns. *Mitc.* 6E 4
Deer Pk. Rd. *SW19* 4C 4
Deer Pk. Way. *W Wick* 4K 15
Defiant Way. *Wall.* 2B 18
Defoe Clo. *SW17.* 1F 5
Delamare Cres. *Croy.* 1B 14
Dell Clo. *Wall.* 6K 11
Dellfield Clo. *Beck.* 3H 9
Dell, The. *SE19.* 3J 7
Delmey Clo. *Croy.* 5J 13
Delta Point. *Croy.* 1C 28
Demesne Rd. *Wall.* 6A 12
Denbigh Clo. *Sutt.* 7A 10
Den Clo. *Beck.* 5J 9
Dene Clo. *Coul.* 6F 23
Dene, The. *Croy.* 6C 14
Dene, The. *Sutt.* 5A 16
Denefield Dri. *Kenl.* 2G 25
Dene Ct. *S Croy* 7F 13
(off Warham Rd.)
Denham Cres. *Mitc.* 6G 5
Denison Rd. *SW19.* 1E 4
Denmark Ct. *Mord* 1B 10
Denmark Gdns. *Cars* 5G 11
Denmark Path. *SE25* 7A 8
Denmark Rd. *SE25.* 7K 7
Denmark Rd. *Cars* 5G 11
Denmead Rd. *Croy*
. . . . 3E 12 (1A 28)
Denmore Ct. *Wall.* 7J 11
Dennett Rd. *Croy.* 3D 12
Denning Av. *Croy.* 6D 12
Dennis Ho. *Sutt.* 6B 10
Dennis Reeve Clo. *Mitc.* 3G 5
Den Rd. *Brom* 5J 9
Densham Dri. *Purl.* 1D 24
Densole Clo. *Beck.* 3D 8
Derby Rd. *SW19* 2B 4
Derby Rd. *Croy.* . . . 3E 12 (1A 28)
Derby Rd. *Sutt.* 1A 16
Derek Av. *Wall* 6J 11
Dering Pl. *S Croy.* . . 6F 13 (7C 28)
Dering Rd. *Croy.* . . . 6F 13 (7C 28)

Deroy Clo.—Emerald Ct.

Deroy Clo. Cars 1G 17
Derrick Av. S Croy 4F 19
Derrick Rd. Beck 5E 8
Derry Rd. Croy 5B 12
Derwent Dri. Purl 7G 19
Derwent Ho. SE20 4A 8 (off Derwent Rd.)
Derwent Rd. SE20 4K 7
Derwent Wlk. Wall 2J 17
Devana End. Cars 5G 11
Devon Clo. Kenl 3J 25
Devon Rd. Sutt 3A 16
Devonshire Av. Sutt 2D 16
Devonshire Ho. Sutt 2D 16
Devonshire Rd. SW19 2F 5
Devonshire Rd. Cars 6H 11
Devonshire Rd. Croy 2G 13
Devonshire Rd. Sutt 2D 16
Devonshire Way. Croy 4D 14
Dibdin Clo. Sutt 5B 10
Dibdin Rd. Sutt 5B 10
Diceland Rd. Bans 3A 22
Dickensons La. SE25 7K 7 (in two parts)
Dickensons Pl. SE25 1K 13
Dickenswood Clo. SE19 2E 6
Digby Pl. Croy 5J 13
Dingwall Av. Croy & New Ad 4F 13 (3C 28)
Dingwall Rd. Cars 3G 17
Dingwall Rd. Croy 3G 13 (1D 28)
Dinsdale Gdns. SE25 7H 7
Dinton Rd. SW19 1E 4
Ditches La. Coul & Cat 7B 24
Dittoncroft Clo. Croy 6H 13
Ditton Pl. SE20 3A 8
Dixon Pl. W Wick 3G 15
Dixon Rd. SE25 5H 7
Doble Ct. S Croy 6K 19
Doel Clo. SW19 2D 4
Doghurst La. Coul 7G 23
Dominion Rd. Croy 2J 13
Donald Rd. Croy 2C 12
Donne Pl. Mitc 6J 5
Donnybrook Rd. SW16 2K 5
Doral Way. Cars 7G 11
Dorchester Rd. Mord 2C 10
Dore Gdns. Mord 2C 10
Doric Dri. Tad 7A 22
Dorin Ct. Warl 7A 26
Dornford Gdns. Coul 6F 25
Dornton Rd. S Croy 1G 19
Dorothy Pettingell Ho. Sutt 5C 10 (off Angel Hill)
Dorrington Ct. SE25 3H 7
Dorryn Ct. SE26 1C 8
Dorset Gdns. Mitc 6C 6
Dorset Rd. SW19 3B 4
Dorset Rd. Beck 5C 8
Dorset Rd. Mitc 4F 5
Dorset Rd. Sutt 4B 16
Douglas Clo. Wall 1B 18
Douglas Dri. Croy 5F 15
Douglas Robinson Ct. SW16 2B 6 (off Streatham High Rd.)
Douglas Sq. Mord 1B 10
Dove Clo. S Croy 5C 20
Dove Clo. Wall 2C 18
Dovedale Ri. Mitc 2G 5
Dovercourt Av. T Hth 7D 6
Dovercourt La. Sutt 5D 10
Dover Gdns. Cars 5G 11
Dover Rd. SE19 1G 7
Doveton Rd. S Croy 7G 13
Dower Av. Wall 3J 17
Dowman Clo. SW19 3C 4
Downe Rd. Mitc 4G 5
Downes Ho. Croy 7A 28
Downlands Clo. Coul 1J 23
Downlands Rd. Purl 7B 18
Downsbridge Rd. Beck 3J 9
Downscourt Rd. Purl 6E 18
Downs Hill. Beck 2J 9
Downside Clo. SW19 1D 4
Downside Rd. Sutt 1E 16
Downs Rd. Beck 4G 9 (in two parts)
Downs Rd. Coul 5K 23
Downs Rd. Purl 5E 18
Downs Rd. Sutt 4C 16
Downs Rd. T Hth 3F 7
Downs Side. Sutt 5A 16
Downsview Gdns. SE19 2E 6
Downsview Rd. SE19 2F 7
Downsway. S Croy 5H 19
Downsway. Whyt 3J 25
Downsway, The. Sutt 3D 16
Doyle Rd. SE25 6K 7
Drake Rd. Croy 2C 12
Drake Rd. Mitc 1H 11
Drakewood Rd. SW16 2A 6
Draxmont. SW19 1A 4
Drayton Rd. Croy 4E 12 (2A 28)
Driftway, The. Mitc 3H 5
Driftwood Dri. Kenl 4E 24
Drive Mead. Coul 1B 24
Drive Rd. Coul 7A 24
Drive Spur. Tad 7C 22
Drive, The. SW16 5C 6
Drive, The. Bans 3A 22
Drive, The. Beck 4F 9
Drive, The. Coul 1B 24
Drive, The. Mord 7D 4
Drive, The. Sutt 6A 16
Drive, The. T Hth 6G 7
Drive, The. Wall 4K 17
Drive, The. W Wick 2J 15
Drovers Rd. S Croy 7G 13
Druids Way. Brom 6J 9
Drummond Cen., The. Croy 4F 13 (3B 28)
Drummond Rd. Croy 4F 13 (3B 28) (in two parts)
Drury Cres. Croy 4D 12
Dryden Rd. SW19 1D 4
Duchess Clo. Sutt 6D 10
Dudley Dri. Mord 2A 10
Dudley Rd. SW19 1B 4
Duke of Edinburgh Rd. Sutt 4E 10
Dukes Hill. Wold 7D 26 (in two parts)
Duke St. Sutt 6E 10
Dukes Way. W Wick 5K 15
Dulverton Rd. S Croy 4B 20
Dulwich Wood Av. SE19 1J 7
Dunbar Av. SW16 4D 6
Dunbar Av. Beck 6D 8
Dunbar Ct. Sutt 7E 10
Duncan Rd. Tad 6A 22
Dundee Rd. SE25 7A 8
Dundee Rd. Slou 1A 28
Dundonald Rd. SW19 2A 4
Dunheved Clo. T Hth 1D 12
Dunheved Rd. N. T Hth 1D 12
Dunheved Rd. S. T Hth 1D 12
Dunheved Rd. W. T Hth 1D 12
Dunkeld Rd. SE25 6G 7
Dunley Dri. New Ad 2G 21
Dunmall Dri. Purl 1H 25
Dunnymans Rd. Bans 2A 22
Dunsbury Clo. Sutt 3C 16
Dunsfold Ri. Coul 7A 18
Dunsfold Way. New Ad 3G 21
Dunstan Rd. Coul 4A 24
Duppas Av. Croy 6E 12 (7A 28)
Duppas Ct. Croy 5A 28
Duppas Hill La. Croy 6E 12 (6A 28)
Duppas Hill Rd. Croy 6D 12 (6A 28)
Duppas Hill Ter. Croy 5E 12 (5A 28)
Duppas Rd. Croy 5D 12
Duraden Clo. Beck 2G 9
Durand Clo. Cars 3G 11
Durban Rd. Beck 4E 8
Durham Av. Brom 6K 9
Durham Ho. Brom 6K 9
Durham Rd. Brom 5K 9
Durning Rd. SE19 1G 7
Dykes Way. Brom 5K 9

E

Eagle Clo. Wall 1B 18
Eagle Hill. SE19 1G 7
Eagle Trad. Est. Mitc 1G 11
Eardley Rd. SW16 1K 5
Earlswood Av. T Hth 7D 6
Easby Cres. Mord 1C 10
East Av. Wall 7C 12
Eastbourne Rd. SW17 1H 5
East Dri. Cars 3F 17
Eastfields Rd. Mitc 4H 5
East Gdns. SW17 1F 5
Eastgate. Bans 1A 22
East Hill. S Croy 4H 19
Eastleigh Clo. Sutt 2C 16
Eastney Rd. Croy 3E 12 (1A 28)
East Rd. SW19 1D 4
East Way. Croy 4D 14
Eastway. Wall 6K 11
Eastwell Clo. Beck 2D 8
Eastwood St. SW16 1K 5
Eaton Rd. Sutt 1D 16
Ebenezer Wlk. SW16 3K 5
Ecclesbourne Rd. T Hth 7F 7
Eddystone. Cars 5E 16
Edencourt Rd. SW16 1J 5
Eden Park 7F 9
Eden Pk. Av. Beck 6D 8 (in two parts)
Eden Rd. Beck 6D 8
Eden Rd. Croy 6G 13 (6D 28)
Edenvale Clo. Mitc 2H 5
Edenvale Rd. Mitc 2H 5
Eden Way. Beck 7E 8
Eden Way. Warl 5D 26
Ederline Av. SW16 5C 6
Edgar Rd. S Croy 3G 19
Edgecoombe. S Croy 2B 20
Edgehill Rd. Mitc 3J 5
Edgehill Rd. Purl 4D 18
Edgepoint Clo. SE27 1E 6
Edgewood Grn. Croy 3C 14
Edgeworth Clo. Whyt 5K 25
Edgington Rd. SW16 1A 6
Edinburgh Rd. Sutt 4D 10
Edith Rd. SE25 7G 7
Edith Rd. SW19 1C 4
Edmund Rd. Mitc 5F 5
Edridge Rd. Croy 5F 13 (5C 28)
Edward Av. Mord 7E 4
Edward Rd. SE20 2C 8
Edward Rd. Coul 2A 24
Edward Rd. Croy 2H 13
Edwards Ct. S Croy 7E 28
Edwin Pl. Croy 1E 28
Effingham Clo. Sutt 2C 16
Effingham Rd. Croy 2C 12
Effra Clo. SW19 1C 4
Effra Rd. SW19 1C 4
Egerton Rd. SE25 5H 7
Egleston Rd. Mord 1C 10
Eglise Rd. Warl 4D 26
Egmont Rd. Sutt 2D 16
Egmont Way. Tad 6A 22
Eighteenth Rd. Mitc 6B 6
Eileen Rd. SE25 7G 7
Eindhoven Clo. Cars 3H 11
Eland Pl. Croy 5E 12 (4A 28)
Eland Rd. Croy 5E 12 (4A 28)
Elberon Av. Croy 1K 11
Elborough Rd. SE25 7K 7
Elder Oak Clo. SE20 3A 8
Elder Oak Ct. SE20 3A 8 (off Anerley Ct.)
Elder Rd. SE27 1F 7
Elderslie Clo. Beck 7F 9
Eldertree Pl. Mitc 3K 5
Eldertree Way. Mitc 3K 5
Elderwood Pl. SE27 1F 7
Eldon Av. Croy 4B 14
Eldon Pk. SE25 6A 8
Eldon Rd. Cat 7G 25
Eleanora Ter. Sutt 7D 10 (off Lind Rd.)
Elgar Av. SW16 5B 6
Elgin Ct. S Croy 7B 28
Elgin Rd. Croy 4J 13
Elgin Rd. Sutt 5D 10
Elgin Rd. Wall 1K 17
Elis David Almshouses. Croy 5E 12 (5A 28)
Elizabeth Clo. Sutt 6A 10
Elizabeth Ct. Brom 3K 9 (off Highland Rd.)
Elizabeth Ct. Whyt 5J 25
Elizabeth Way. SE19 2G 7
Ellenbridge Way. S Croy 3H 19
Ellery Rd. SE19 2G 7
Ellesmere Av. Beck 4G 9
Ellesmere Dri. S Croy 1A 26
Elliott Rd. T Hth 6E 6
Ellis Clo. Coul 7C 24
Ellison Rd. SW16 2A 6
Ellis Rd. Coul 7C 24
Ellis Rd. Mitc 1G 11
Ellora Rd. SW16 1A 6
Elmbrook Rd. Sutt 6A 10
Elm Clo. Cars 3G 11
Elm Clo. S Croy 1H 19
Elm Clo. Warl 4C 26
Elm Cotts. Mitc 4G 5
Elmdene Clo. Beck 1E 14
Elmers End 6D 8
Elmers End Rd. SE20 & Beck 4B 8
Elmerside Rd. Beck 6D 8
Elmers Rd. SE25 2K 13
Elmfield Av. Mitc 3H 5
Elmfield Way. S Croy 3J 19
Elm Gdns. Mitc 6A 6
Elm Gro. Sutt 6C 10
Elm Gro. Pde. Wall 5H 11
Elmgrove Rd. Croy 2A 14
Elmhurst Av. Mitc 2J 5
Elmhurst Ct. Croy 6G 13 (7D 28)
Elmhurst Lodge. Sutt 2D 16
Elm Pk. Gdns. S Croy 4B 20
Elm Pk. Rd. SE25 5J 7
Elm Rd. Beck 4E 8
Elm Rd. Purl 7E 18
Elm Rd. T Hth 6G 7
Elm Rd. Wall 3H 11
Elm Rd. Warl 4C 26
Elm Rd. W. Sutt 2A 10
Elmside. New Ad 1G 21
Elmsleigh Ct. Sutt 5C 10
Elms, The. Croy 3F 13 (off Tavistock Rd.)
Elmwood Clo. Wall 4J 11
Elmwood Rd. Croy 2E 12
Elmwood Rd. Mitc 5G 5
Elphinstone Ct. SW16 1B 6
Elsa Ct. Beck 3E 8
Elsrick Av. Mord 7B 4
Elstan Way. Croy 2D 14
Elstree Hill. Brom 2K 9
Elton Rd. Purl 6K 17
Elvino Rd. SE26 1D 8
Elwill Way. Beck 6H 9
Ely Rd. Croy 7G 7
Elystan Clo. Wall 2K 17
Embassy Ct. Wall 1J 17
Embassy Gdns. Beck 3E 8
Emerald Ct. Coul 2A 24

Empire Sq.—Furze La.

Empire Sq. SE20 . . . . *2C* **8**
(off High St.)
Ena Rd. *SW16* 5B **6**
Endale Clo. *Cars* 4G **11**
Endeavour Way. *Croy* 2B **12**
Endsleigh Clo. *S Croy* 4B **20**
Engadine Clo. *Croy* 5J **13**
Englefield Clo. *Croy* 1F **13**
Enmore Av. *SE25* 7K **7**
Enmore Rd. *SE25* 7K **7**
Ennerdale Clo. *Sutt* 6A **10**
Ensign Clo. *Purl* 4D **18**
Ensign Way. *Wall* 2B **18**
Enterprise Cen., The. Beck . . . *1D* **8**
(off Cricket La.)
Enterprise Clo. *Croy* 3D **12**
Epsom Rd. *Croy* 6D **12**
Epsom Rd. *Sutt* 2A **10**
Eresby Dri. *Beck* 3F **15**
Erica Gdns. *Croy* 5G **15**
Erin Clo. *Brom* 2K **9**
Ernest Clo. *Beck* 7F **9**
Ernest Gro. *Beck* 7E **8**
Erridge Rd. *SW19* 4B **4**
Erskine Clo. *Sutt* 5F **11**
Erskine Rd. *Sutt* 6E **10**
Esam Way. *SW16* 1D **6**
Esher M. *Mitc* 5H **5**
Eskdale Gdns. *Purl* 1G **25**
Eskmont Ridge. *SE19* 2G **7**
Essenden Rd. *S Croy* 2H **19**
Essex Gro. *SE19* 1G **7**
Estcourt Rd. *SE25* 1A **14**
Estreham Rd. *SW16* 1A **6**
Euston Rd. *Croy* 3D **12**
Evelina Rd. *SE20* 2B **8**
Eveline Rd. *Mitc* 3G **5**
Evelyn Rd. *SW19* 1C **4**
Evelyn Way. *Wall* 6A **12**
Evening Hill. *Beck* 2H **9**
Evergreen Clo. *SE20* 2B **8**
Eversley Rd. *SE19* 2G **7**
Eversley Way. *Croy* 6F **15**
Everton Rd. *Croy* 3K **13**
Evesham Clo. *Sutt* 2B **16**
Evesham Grn. *Mord* 1C **10**
Evesham Rd. *Mord* 1C **10**
Ewhurst Av. *S Croy* 3J **19**
Ewhurst Ct. *Mitc* 5E **4**
Exeter Rd. *Croy* 2H **13**
Eyebright Clo. *Croy* 3C **14**

F

Factory La. *Croy*
. . . . 3D **12** (2A **28**)
Factory Sq. SW16 . . . . *1B* **6**
(off Streatham High Rd.)
Fair Acres. *Croy* 3E **20**
Fairbairn Clo. *Purl* 7D **18**
Fairchildes Av. *New Ad* 6J **21**
Fairchildes Rd. *Warl* 1J **27**
Fairdene Rd. *Coul* 5A **24**
Fairfield Clo. *Mitc* 2F **5**
Fairfield Halls **4D 28**
Fairfield Path. *Croy*
. . . . 5G **13** (4E **28**)
Fairfield Rd. *Beck* 4F **9**
Fairfield Rd. *Croy*
. . . . 5G **13** (4E **28**)
Fairfield Way. *Coul* 1A **24**
Fairford Av. *Croy* 7C **8**
Fairford Clo. *Croy* 7D **8**
Fairford Ct. *Sutt* 2C **16**
Fairgreen Rd. *T Hth* 7E **6**
Fairhaven Av. *Croy* 1C **14**
Fairhaven Ct. S Croy *7F* **13**
(off Warham Rd.)
Fairholme Rd. *Croy* 2D **12**
Fairholme Rd. *Sutt* 1A **16**
Fairlands Av. *Sutt* 4B **10**
Fairlands Av. *T Hth* 6C **6**
Fairlawn Gro. *Bans* 7E **16**
Fairlawn Rd. *SW19* 2A **4**
Fairlawn Rd. *Sutt* 5D **16**
(in three parts)
Fairlawns. *Wall* 7J **11**
Fairline Ct. *Beck* 4H **9**
Fairmead Rd. *Croy* 2C **12**
Fairmile Av. *SW16* 1A **6**
Fairoak Clo. *Kenl* 2E **24**
Fairview Rd. *SW16* 3C **6**
Fairview Rd. *Sutt* 7E **10**
Fairway. *Cars* 5D **16**
Fairway Clo. *Croy* 7D **8**
Fairway Gdns. *Beck* 1J **15**
Fairways. *Kenl* 4F **25**
Falconwood Rd. *Croy* 3E **20**
Falcourt Clo. *Sutt* 7C **10**
Falkland Pk. Av. *SE25* 5H **7**
Fallsbrook Rd. *SW16* 1J **5**
Famet Av. *Purl* 7F **19**
Famet Clo. *Purl* 7F **19**
Famet Gdns. *Kenl* 7F **19**
Famet Wlk. *Purl* 7F **19**
Faraday Rd. *SW19* 1B **4**
Faraday Way. *Croy* 3C **12**
Farewell Pl. *Mitc* 3F **5**
Farleigh. **1E 26**
Farleigh Common. **1D 26**
Farleigh Ct. *S Croy* 7F **13**
Farleigh Ct. Rd. *Warl* 1E **26**
Farleigh Dean Cres. *Croy* . . . 5G **21**
Farleigh Rd. *Warl* 5C **26**
Farley Pl. *SE25* 6K **7**
Farley Rd. *S Croy* 2A **20**
Farm Clo. *Coul* 7G **23**
Farm Clo. *Sutt* 2E **16**
Farm Clo. *Wall* 4K **17**
Farm Clo. *W Wick* 5K **15**
Farmdale Rd. *Cars* 2F **17**
Farm Dri. *Croy* 4E **14**
Farm Dri. *Purl* 6A **18**
Farmfield Rd. *Brom* 1K **9**
Farm Fields. *S Croy* 5H **19**
Farmhouse Rd. *SW16* 2K **5**
Farmington Av. *Sutt* 5E **10**
Farm La. *Croy* 4E **14**
Farm La. *Purl* 4K **17**
Farm M. *Mitc* 4J **5**
Farm Rd. *Mord* 7C **4**
Farm Rd. *Sutt* 2E **16**
Farm Rd. *Warl* 6D **26**
Farnaby Rd. *Brom* 2J **9**
Farnan Rd. *SW16* 1B **6**
Farnborough Av. *S Croy* 3C **20**
Farnborough Cres. *S Croy*
. . . . 3D **20**
Farnham Ct. *Sutt* 1A **16**
Farningham Ct. *SW16* 2A **6**
Farnley Rd. *SE25* 6G **7**
Farquhar Rd. *SW19* 1J **7**
Farquharson Rd. *Croy* 3F **13**
Farrer's Pl. *Croy* 6C **14**
Faversham Rd. *Beck* 4E **8**
Faversham Rd. *Mord* 1C **10**
Fawcett Rd. *Croy* . . . 5F **13** (5A **28**)
Featherbed La. *Croy & Warl*
. . . . 2E **20**
Felbridge Clo. *Sutt* 3C **16**
Fellmongers Yd. *Croy* 4B **28**
Fellowes Rd. *Cars* 5F **11**
Fell Rd. *Croy* 5F **13** (4C **28**)
(in two parts)
Felmingham Rd. *SE20* 4B **8**
Feltham Rd. *Mitc* 4G **5**
Fennel Clo. *Croy* 3C **14**
Fenwick Pl. *S Croy* 2E **18**
Ferguson Clo. *Brom* 5J **9**
Fern Av. *Mitc* 6A **6**
Fern Clo. *Warl* 5D **26**
Ferndale Rd. *SE25* 7A **8**
Ferndale Rd. *Bans* 3A **22**
Ferndown Clo. *Sutt* 1E **16**
Fernham Rd. *T Hth* 5F **7**
Fernhurst Rd. *Croy* 2A **14**
Fernlea Rd. *Mitc* 4H **5**
Fernleigh Clo. *Croy* 6D **12**
Ferns Clo. *S Croy* 4A **20**
Fernthorpe Rd. *SW16* 1K **5**
Fernwood. *Croy* 3D **20**
Ferrers Av. *Wall* 6A **12**
Ferrers Rd. *SW16* 1A **6**
Ferris Av. *Croy* 5E **14**
Festival Wlk. *Cars* 7G **11**
Fickleshole. **1J** 27
Fiddicroft Av. *Bans* 1C **22**
Field Clo. *S Croy* 1A **26**
Field End. *Coul* 1A **24**
Fieldend Rd. *SW16* 3K **5**
Fieldgate La. *Mitc* 4F **5**
Fieldhouse Vs. *Bans* 2F **23**
Fieldings, The. *Bans* 4A **22**
Fieldsend Rd. *Sutt* 7A **10**
Fieldway. *New Ad* 2G **21**
Figges Rd. *Mitc* 2H **5**
Filey Clo. *Sutt* 2D **16**
Finborough Rd. *SW17* 1G **5**
Firefly Clo. *Wall* 2B **18**
Fire Sta. M. *Beck* 3F **9**
Fir Rd. *Sutt* 3A **10**
Firsby Av. *Croy* 3C **14**
Firs Clo. *Mitc* 3J **5**
Firs Rd. *Kenl* 2E **24**
Firtree Av. *Mitc* 4H **5**
Firtree Gdns. *Croy* 6F **15**
Fir Tree Gro. *Cars* 2G **17**
Fir Tree Rd. *Bans* 1A **22**
Fisher Clo. *Croy* 3J **13**
Fitzjames Av. *Croy* 4K **13**
Fitzroy Ct. *Croy* 2G **13**
Fitzroy Gdns. *SE19* 2H **7**
Fiveacre Clo. *T Hth* 1D **12**
Fiveways Corner. (Junct.)
. . . . **6C 12**
Flag Clo. *Croy* 3C **14**
Flanders Cres. *SW17* 2G **5**
Flaxley Rd. *Mord* 2C **10**
Fleetwood Clo. *Croy* 5J **13**
Fleming Ct. *Croy* 7D **12**
Fleming Mead. *Mitc* 2F **5**
Flimwell Clo. *Brom* 1K **9**
Flint Clo. *Bans* 1C **22**
Flora Gdns. *Croy* 5H **21**
Florence Av. *Mord* 7D **4**
Florence Rd. *SW19* 1C **4**
Florence Rd. *Beck* 4D **8**
Florence Rd. *S Croy* 3G **19**
Florian Av. *Sutt* 6E **10**
Florida Rd. *T Hth* 3E **6**
Follyfield Rd. *Bans* 1B **22**
Fontaine Rd. *SW16* 2C **6**
Fonthill Clo. *SE20* 4K **7**
Ford Clo. *T Hth* 7E **6**
Forestdale. **3E** 20
Forestdale Cen., The. *Croy*
. . . . 2E **20**
Forest Dene Ct. *Sutt* 1D **16**
Forest Dri. *Kgswd* 7B **22**
Foresters Clo. *Wall* 2A **18**
Foresters Dri. *Wall* 2A **18**
Forest Ridge. *Beck* 5F **9**
Forest Rd. *Sutt* 3B **10**
Forge Av. *Coul* 7D **24**
Forge M. *Croy* 7F **15**
Forge Steading. *Bans* 2C **22**
Forrest Gdns. *SW16* 5C **6**
Forster Rd. *Beck* 5D **8**
Forsyte Cres. *SE19* 3H **7**
Forsythe Shades Ct. *Beck*
. . . . 3H **9**
Fortescue Rd. *SW19* 2E **4**
Forval Clo. *Mitc* 7G **5**
Foss Av. *Croy* 7D **12**
Foulsham Rd. *T Hth* 5F **7**
Founders Gdns. *SE19* 2F **7**
Fountain Dri. *Cars* 2G **17**
Fountain Rd. *T Hth* 5F **7**
Four Seasons Cres. *Sutt* 4A **10**
Fourth Dri. *Coul* 3K **23**
Fowler Rd. *Mitc* 4H **5**
Foxcombe. *New Ad* 1G **21**
(in two parts)
Foxearth Rd. *S Croy* 4B **20**
Foxearth Spur. *S Croy* 3B **20**
Foxes Dale. *Brom* 5J **9**
Foxglove Gdns. *Purl* 5B **18**
Foxglove Way. *Wall* 3J **11**
Foxgrove Av. *Beck* 2G **9**
Foxgrove Rd. *Beck* 2G **9**
Fox Hill. *SE19* 2J **7**
Fox Hill Gdns. *SE19* 2J **7**
Fox La. *Cat* 7E **24**
Foxleas Ct. *Brom* 2K **9**
Foxley Ct. *Sutt* 2D **16**
Foxley Gdns. *Purl* 7E **18**
Foxley Hall. *Purl* 7D **18**
Foxley Hill Rd. *Purl* 6D **18**
Foxley La. *Purl* 5K **17**
Foxley Rd. *Kenl* 1E **24**
Foxley Rd. *T Hth* 6E **6**
Foxon La. *Cat* 7G **25**
Foxon La. Gdns. *Cat* 7H **25**
Fox's Path. *Mitc* 4F **5**
Foxton Gro. *Mitc* 4E **4**
Framfield Rd. *Mitc* 2H **5**
Frampton Clo. *Sutt* 2B **16**
Francis Gro. *SW19* 1A **4**
(in two parts)
Francis Rd. *Croy* 2E **12**
Francis Rd. *Wall* 1K **17**
Franklin Cres. *Mitc* 6K **5**
Franklin Rd. *SE20* 2B **8**
Franklin Way. *Croy* 2B **12**
Frant Clo. *SE20* 2B **8**
Frant Rd. *T Hth* 7E **6**
Frederick Clo. *Sutt* 6A **10**
Frederick Gdns. *Croy* 1E **12**
Frederick Gdns. *Sutt* 6A **10**
Frederick Rd. *Sutt* 7A **10**
Freedown La. *Sutt* 7C **16**
Freelands Av. *S Croy* 3C **20**
Freeman Rd. *Mord* 7E **4**
Freemasons Rd. *Croy* 3H **13**
Freethorpe Clo. *SE19* 2G **7**
French Apartments, The. *Purl*
. . . . 6D **18**
Frensham Dri. *New Ad* 2H **21**
Frensham Rd. *Kenl* 1E **24**
Freshfields. *Croy* 3E **14**
Freshwater Clo. *SW17* 1H **5**
Freshwater Rd. *SW17* 1H **5**
Freshwood Clo. *Beck* 3G **9**
Freshwood Way. *Wall* 3J **17**
Friarswood. *Croy* 3D **20**
Friday Rd. *Mitc* 2G **5**
Friends Rd. *Croy* . . . 5G **13** (4D **28**)
Friends Rd. *Purl* 6E **18**
Frimley Av. *Wall* 7B **12**
Frimley Clo. *New Ad* 2H **21**
Frimley Cres. *New Ad* 2H **21**
Frimley Gdns. *Mitc* 5F **5**
Frinton Rd. *SW17* 1H **5**
Frith Rd. *Croy* 4F **13** (3B **28**)
Frobisher Clo. *Kenl* 4F **25**
Frobisher Ct. *Sutt* 2A **16**
Frylands Ct. *New Ad* 5H **21**
Fryston Av. *Coul* 1J **23**
Fryston Av. *Croy* 4K **13**
Fulford Rd. *Cat* 7G **25**
Fuller's Wood. *Croy* 7F **15**
Fullerton Rd. *Cars* 3F **17**
Fullerton Rd. *Croy* 2J **13**
Furlong Clo. *Wall* 3J **11**
Furneaux Av. *SE27* 1E **6**
Furness Rd. *Mord* 1C **10**
Furtherfield Clo. *Croy* 1D **12**
Furzedown. **1J 5**
Furzedown Dri. *SW17* 1J **5**
Furzedown Rd. *Sutt* 5D **16**
Furze Gro. *Tad* 7A **22**
Furze Hill. **7A** 22
Furze Hill. *Kgswd* 7A **22**
Furze Hill. *Purl* 5B **18**
Furze La. *Purl* 5B **18**

Furze Rd.—Guy Rd.

Furze Rd. *T Hth* 5F 7
Fyfield Clo. *Brom* 6J 9

G

Gables, The. *Bans* 4A 22
Gables Way. *Bans* 4A 22
Gainsborough Clo. *Beck* 2F 9
Gainsborough Dri. *S Croy* 7K 19
Gainsborough Ter. Sutt 2A 16
(off Belmont Ri.)
Gale Clo. *Mitc* 5E 4
Gale Cres. *Bans* 4B 22
Gallop, The. *S Croy* 2A 20
Gallop, The. *Sutt* 3E 16
Galloway Path. *Croy* 6G 13 (7D 28)
Galpin's Rd. *T Hth* 7B 6
Galvani Way. *Croy* 3C 12
Gander Grn. La. *Sutt* 4A 10
Garden Av. *Mitc* 2J 5
Garden Clo. *Bans* 2B 22
Garden Clo. *Wall* 7B 12
Garden Ct. *Croy* 4J 13
Gardeners Rd. *Croy* 3E 12 (1A 28)
Garden Rd. *SE20* 3B 8
Gardens, The. *Beck* 3H 9
Garden Wlk. *Beck* 3E 8
Gardiner Ct. *S Croy* 1F 19
Gardner Ind. Est. *SE26* 1E 8
Garendon Gdns. *Mord* 2C 10
Garendon Rd. *Mord* 2C 10
Garfield Rd. *SW19* 1D 4
Garlands Ct. *Croy* 6E 28
Garnet Rd. *T Hth* 6F 7
Garrard Rd. *Bans* 3B 22
Garratt Clo. *Croy* 6B 12
Garratts La. *Bans* 3A 22
Garrick Cres. *Croy* 4H 13
Garston Gdns. *Kenl* 2G 25
Garston La. *Kenl* 1G 25
Gascoigne Rd. *New Ad* 4H 21
Gassiot Way. *Sutt* 5E 10
Gaston Rd. *Mitc* 5H 5
Gatcombe Ct. *Beck* 2F 9
Gates Grn. Rd. *W Wick & Kes* 5K 15
Gatestone Rd. *SE19* 1H 7
Gateways Ct. *Wall* 7J 11
Gatton Clo. *Sutt* 3C 16
Gauntlet Cres. *Kenl* 7G 25
Gauntlett Rd. *Sutt* 7E 10
Gavina Clo. *Mord* 7F 5
Gaynesford Rd. *Cars* 2G 17
Geneva Rd. *T Hth* 7F 7
Genoa Rd. *SE20* 3B 8
George Gro. Rd. *SE20* 3K 7
George Sq. *SW19* 5B 4
George St. *Croy* 4F 13 (3C 28)
Georgian Ct. *Croy* 1E 28
Georgia Rd. *T Hth* 3E 6
Gerrards Mead. *Bans* 3A 22
Gibbs Av. *SE19* 1G 7
Gibbs Clo. *SE19* 1G 7
Gibbs Sq. *SE19* 1G 7
Gibson Ho. *Sutt* 6B 10
Gibson Rd. *Sutt* 7C 10
Gibsons Hill. *SW16* 2D 6
Gidd Hill. *Coul* 3H 23
Gilbert Clo. SW19 2C 4
(off High Path)
Gilbert Rd. *SW19* 2D 4
Gilbert Way. *Croy* 4C 12
Gillett Rd. *T Hth* 6G 7
Gilliam Gro. *Purl* 4D 18
Gillian Pk. Rd. *Sutt* 3A 10
Gilpin Clo. *Mitc* 4F 5
Gilsland Rd. *T Hth* 6G 7
Gipsy Hill. *SE19* 1H 7
Girton Gdns. *Croy* 5F 15
Gisbourne Clo. *Wall* 5A 12
Glade Gdns. *Croy* 2D 14
Gladeside. *Croy* 1C 14
Gladeside Ct. *Warl* 7A 26
Glade Spur. *Tad* 7C 22
Glade, The. *Coul* 6D 24
Glade, The. *Croy* 1D 14
Glade, The. *Sutt* 3A 16
Glade, The. *Tad* 7C 22
Glade, The. *W Wick* 5G 15
Gladstone M. *SE20* 2B 8
Gladstone Rd. *SW19* 2B 4
Gladstone Rd. *Croy* 2G 13
Glamorgan Clo. *Mitc* 5B 6
Glanfield Rd. *Beck* 6E 8
Glasford St. *SW17* 1G 5
Glastonbury Rd. *Mord* 2B 10
Glebe Av. *Mitc* 4F 5
Glebe Clo. *S Croy* 5J 19
Glebe Ct. *Mitc* 5G 5
Glebe Hyrst. *S Croy* 6J 19
Glebe Path. *Mitc* 5G 5
Glebe Rd. *Cars* 1G 17
Glebe Rd. *Sutt* 2A 16
Glebe Rd. *Warl* 4C 26
Glebe Sq. *Mitc* 5G 5
Glebe Way. *S Croy* 6J 19
Glebe Way. *W Wick* 4H 15
Glena Mt. *Sutt* 6D 10
Glenavon Lodge. *Beck* 2F 9
Glenbow Rd. *Brom* 1K 9
Glencairn Rd. *SW16* 3B 6
Glendale Dri. *SW19* 1A 4
Glendale M. *Beck* 3G 9
Glendale Ri. *Kenl* 2E 24
Gleneagle Rd. *SW16* 1A 6
Glenfield Rd. *Bans* 2C 22
Glen Gdns. *Croy* 5D 12
Glenhurst. *Beck* 3H 9
Glenhurst Ri. *SE19* 2F 7
Glenister Pk. Rd. *SW16* 2A 6
Glenmore Lodge. *Beck* 3G 9
Glenn Av. *Purl* 5E 18
Glen Rd. End. *Wall* 3J 17
Glen, The. *Brom* 4K 9
Glen, The. *Croy* 5C 14
Glenthorne Av. *Croy* 3A 14
Glenthorne Clo. *Sutt* 3B 10
Glenthorne Gdns. *Sutt* 3B 10
Glenwood Way. *Croy* 1C 14
Glossop Rd. *S Croy* 3G 19
Gloucester Ct. *Mitc* 7B 6
Gloucester Gdns. *Sutt* 4C 10
Gloucester Rd. *Croy* 3G 13
Glyn Clo. *SE25* 4H 7
Glyndale Grange. *Sutt* 1C 16
Goat Ho. Bri. *SE25* 5K 7
Goat Rd. *Mitc* 2H 11
Godalming Av. *Wall* 7B 12
Goddard Rd. *Beck* 6C 8
Godolphin Clo. *Sutt* 5A 16
Godric Cres. *New Ad* 4J 21
Godson Rd. *Croy* 5D 12
Godstone Mt. *Purl* 6E 18
Godstone Rd. *Purl & Kenl* 6D 18
Godstone Rd. *Sutt* 6D 10
Goidel Clo. *Wall* 6A 12
Goldcliff Clo. *Mord* 2B 10
Goldcrest Way. *New Ad* 3J 21
Goldcrest Way. *Purl* 4A 18
Golden M. *SE20* 3B 8
Goldfinch Rd. *S Croy* 4D 20
Goldwell Rd. *T Hth* 6C 6
Golf Clo. *T Hth* 3D 6
Golf Rd. *Kenl* 5G 25
Golf Side. *Sutt* 5A 16
Goliath Clo. *Wall* 2B 18
Gomshall Av. *Wall* 7B 12
Gomshall Gdns. *Kenl* 2H 25
Gonville Rd. *T Hth* 7C 6
Goodenough Clo. *Coul* 7D 24
Goodenough Rd. *SW19* 2A 4
Goodenough Way. *Coul* 7C 24
Goodhart Way. *W Wick* 2K 15
Goodhew Rd. *Croy* 1K 13
Goodwin Clo. *Mitc* 5E 4
Goodwin Ct. *SW19* 2F 5
Goodwin Gdns. *Croy* 1E 18
Goodwin Rd. *Croy* 7E 12
Goodwood Clo. *Mord* 6B 4
Goodwood Pde. *Beck* 6D 8
Goosens Clo. *Sutt* 7D 10
Gordon Av. *S Croy* 4F 19
Gordon Cres. *Croy* 3H 13
Gordon Rd. *Beck* 5E 8
Gordon Rd. *Cars* 1G 17
Gordon Rd. *Cat* 7G 25
Gorringe Pk. Av. *Mitc* 2G 5
Gorse Ri. *SW17* 1H 5
Gorse Rd. *Croy* 6F 15
Goston Gdns. *T Hth* 5D 6
Goulding Gdns. *T Hth* 4F 7
Gowland Pl. *Beck* 4E 8
Grace Ct. *Croy* 4A 28
Grace M. SE20 4B 8
(off Marlow Rd.)
Grace Rd. *Croy* 1F 13
Grafton Rd. *Croy* 3D 12
Graham Av. *Mitc* 3H 5
Graham Clo. *Croy* 4F 15
Graham Rd. *SW19* 2A 4
Graham Rd. *Mitc* 3H 5
Graham Rd. *Purl* 7D 18
Grampion Clo. *Sutt* 2D 16
Granden Rd. *SW16* 4B 6
Grange Av. *SE25* 4H 7
Grangecliffe Gdns. *SE25* 4H 7
Grange Ct. *Sutt* 2C 16
Grange Gdns. *SE25* 4H 7
Grange Gdns. *Bans* 7C 16
Grange Hill. *SE25* 4H 7
Grange Mdw. *Bans* 7C 16
Grange Pk. Rd. *T Hth* 6G 7
Grange Rd. *S Croy* 4F 19
Grange Rd. *Sutt* 2B 16
Grange Rd. *T Hth & SE25* 6G 7
Grange, The. *Croy* 4E 14
Grange Va. *Sutt* 2C 16
Grangewood La. *Beck* 1E 8
Grangewood Ter. *SE25* 4G 7
Granton Rd. *SW16* 3K 5
Grant Pl. *Croy* 3J 13
Grant Rd. *Croy* 3J 13
Granville Clo. *Croy* 4H 13
Granville Gdns. *SW16* 3C 6
Granville Rd. *SW19* 2B 4
Grasmere Av. *SW19* 5B 4
Grasmere Ct. *Sutt* 1D 16
Grasmere Rd. *SE25* 1A 14
Grasmere Rd. *Brom* 3K 9
Grasmere Rd. *Purl* 5E 18
Grassfield Clo. *Coul* 6J 23
Grassmount. *Purl* 4K 17
Grass Way. *Wall* 6K 11
Gravel Hill. *Croy* 1C 20
Gravenel Gdns. SW17 1F 5
(off Nutwell St.)
Graveney Gro. *SE20* 2B 8
Grayscroft Rd. *SW16* 2A 6
Great Ellshams. *Bans* 3B 22
Gt. Gatton Clo. *Croy* 2D 14
Gt. Woodcote Dri. *Purl* 4A 18
Gt. Woodcote Pk. *Purl* 4A 18
Grebe Ct. *Sutt* 7A 10
Grecian Cres. *SE19* 1E 6
Greenacre Pl. *Hack* 4J 11
Green Acres. *Croy* 5J 13
Green Clo. *Brom* 5K 9
Green Clo. *Cars* 4G 11
Greencourt Av. *Croy* 4A 14
Greencourt Gdns. *Croy* 3A 14
Green Curve. *Bans* 1A 22
Greenfield Link. *Coul* 2B 24
Greenford Rd. *Sutt* 6C 10
(in two parts)
Greenhayes Av. *Bans* 1B 22
Greenhayes Gdns. *Bans* 2B 22
Greenhill. *Sutt* 4D 10
Greenhill Av. *Cat* 7A 26
Grn. Hill La. *Warl* 4D 26
Green La. *SE20* 2C 8
Green La. *SW16 & T Hth* 2C 6
Green La. *Mord* 1B 10
Green La. *Purl* 5K 17
Green La. *Warl* 3D 26
Green La. Gdns. *T Hth* 4F 7
Grn. Leaf Av. *Wall* 6A 12
Greenmead Clo. *SE25* 7K 7
Greenock Rd. *SW16* 3A 6
Greenside Rd. *Croy* 2D 12
Green, The. *Cars* 6H 11
Green, The. *Croy* 3E 20
Green, The. *Sutt* 5C 10
Green, The. *Warl* 4C 26
Greenview Av. *Beck* 1D 14
Greenview Av. *Croy* 1D 14
Green Way. *Wall* 6K 11
Greenway Gdns. *Croy* 5E 14
Greenways. *Beck* 5F 9
Greenwood Bus. Cen. *Croy* 2J 13
Greenwood Rd. *Croy* 2E 12
Greenwood Rd. *Mitc* 5A 6
Green Wrythe Cres. *Cars* 3F 11
Green Wrythe La. *Cars* 1E 10
Gregory Clo. *Brom* 6K 9
Grenaby Av. *Croy* 2G 13
Grenaby Rd. *Croy* 2G 13
Grenfell Rd. *SW17* 1G 5
Grennell Clo. *Sutt* 4E 10
Grennell Rd. *Sutt* 4D 10
Grenville Rd. *New Ad* 3H 21
Gresham Av. *Warl* 5D 26
Gresham Ct. *Purl* 5D 18
Gresham Rd. *SE25* 6K 7
Gresham Rd. *Beck* 4D 8
Greville Av. *S Croy* 4C 20
Greycot Rd. *Beck* 1F 9
Greyfields Clo. *Purl* 7E 18
Greyhound La. *SW16* 1A 6
Greyhound Rd. *Sutt* 7D 10
Greyhound Ter. *SW16* 3K 5
Greystone Clo. *S Croy* 5B 20
Greyswood St. *SW16* 1J 5
Griffiths Rd. *SW19* 2B 4
Grimwade Av. *Croy* 5K 13
Grindall Clo. *Croy* 6E 12 (7A 28)
Grindley Gdns. *Croy* 1J 13
Grisedale Clo. *Purl* 1H 25
Grisedale Gdns. *Purl* 1H 25
Grosvenor Av. *Cars* 1G 17
Grosvenor Gdns. *Wall* 2K 17
Grosvenor Rd. *SE25* 6J 7
Grosvenor Rd. *Wall* 1J 17
Grosvenor Rd. *W Wick* 3G 15
Grove Av. *Sutt* 1B 16
Grovehill Ct. *Brom* 1K 9
Groveland Av. *SW16* 2C 6
Groveland Rd. *Beck* 5E 8
Grovelands Rd. *Purl* 6B 18
Grove La. *Coul* 6G 17
(in two parts)
Grove Mill Pl. *Cars* 5H 11
Grove Rd. *SW19* 2D 4
Grove Rd. *Mitc* 5H 5
(in two parts)
Grove Rd. *Sutt* 1B 16
Grove Rd. *T Hth* 6D 6
Groveside Clo. *Cars* 4F 11
Grove, The. *Coul* 2A 24
Grove, The. *W Wick* 5G 15
Grove Wood Hill. *Coul* 1K 23
Guildersfield Rd. *SW16* 2B 6
Guildford Rd. *Croy* 1G 13
Guildford Way. *Wall* 7B 12
Guinness Ct. *Croy* 4J 13
Gull Clo. *Wall* 2B 18
Gunnell Clo. *Croy* 1J 13
Gunton Rd. *SW17* 1H 5
Gurney Cres. *Croy* 3C 12
Gurney Rd. *Cars* 6H 11
Guyatt Gdns. *Mitc* 4H 5
Guy Rd. *Wall* 5A 12

Gwydor Rd.—Hildenborough Gdns.

Gwydor Rd. *Beck* 5C **8**
Gwynne Av. *Croy* 2C **14**

H

Haccombe Rd. *SW19* 1D **4**
Hackbridge 4H **11**
Hackbridge Grn. *Wall* 4H **11**
Hackbridge Pk. Gdns. *Cars* 4G **11**
Hackbridge Rd. *Wall* 4H **11**
Hackington Cres. *Beck* 1F **9**
Haddon Rd. *Sutt* 6C **10**
Hadleigh Clo. *SW20* 4A **4**
Hadleigh Dri. *Sutt* 3B **16**
Hadley Rd. *Mitc* 6A **6**
Hadley Wood Ri. *Kenl* 2E **24**
Hadlow Pl. *SE19* 2K **7**
Hadrian Ct. *Sutt* 2C **16**
Haig Pl. *Mord* 1B **10**
Hailes Clo. *SW19* 1D **4**
Hailsham Rd. *SW17* 1H **5**
Haines Wlk. *Mord* 2C **10**
Halesowen Rd. *Mord* 2C **10**
Haling Down Pas. *Purl* 4E **18** (in two parts)
Haling Gro. *S Croy* 2F **19**
Haling Pk. Gdns. *Croy* 1E **18**
Haling Pk. Rd. *S Croy* 7E **12**
Haling Rd. *S Croy* 1G **19**
Halliloo Valley Rd. *Wold* 7C **26**
Hallmead Rd. *Sutt* 5C **10**
Hallowell Av. *Croy* 6B **12**
Hallowell Clo. *Mitc* 5H **5**
Hallowfield Way. *Mitc* 5F **5**
Hall Rd. *Wall* 3J **17**
Hall Way. *Purl* 7E **18**
Halstead Clo. *Croy* 5F **13** (4B **28**)
Hambledon Gdns. *SE25* 5J **7**
Hamblehyrst. *Beck* 4G **9**
Hambrook Rd. *SE25* 5A **8**
Hambro Rd. *SW16* 1A **6**
Hamilton Av. *Sutt* 4A **10**
Hamilton Clo. *Purl* 6E **18**
Hamilton Ct. *Croy* 3K **13**
Hamilton M. *SW19* 2B **4**
Hamilton Rd. *SW19* 2C **4**
Hamilton Rd. *T Hth* 5G **7**
Hamilton Rd. M. *SW19* 2C **4**
Hamilton Way. *Wall* 3A **18**
Hamlet Rd. *SE19* 2J **7**
Hamlyn Gdns. *SE19* 2H **7**
Hammond Av. *Mitc* 4J **5**
Hamond Clo. *S Croy* 3E **18**
Hampden Av. *Beck* 4D **8**
Hampden Rd. *Beck* 4D **8**
Hampton Rd. *Croy* 1F **13**
Hamsey Green 3A **26**
Hamsey Grn. Gdns. *Warl* 3A **26**
Hamsey Way. *S Croy* 2A **26**
Ham Vw. *Croy* 1D **14**
Hancock Rd. *SE19* 1G **7**
Handcroft Rd. *Croy* 2E **12** (1A **28**)
Handley Page Rd. *Wall* 2C **18**
Hanley Pl. *Beck* 2F **9**
Hannah Clo. *Beck* 5H **9**
Hannah M. *Wall* 2K **17**
Hannibal Way. *Croy* 7C **12**
Hanover Clo. *Sutt* 6A **10**
Hanover Rd. *SW19* 2D **4**
Hanover St. *Croy* 5E **12** (4A **28**)
Hanson Clo. *Beck* 1G **9**
Harbledown Rd. *S Croy* 5K **19**
Harbourfield Rd. *Bans* 2C **22**
Harbury Rd. *Cars* 3F **17**
Harcourt Av. *Wall* 6J **11**
Harcourt Fld. *Wall* 6J **11**
Harcourt Lodge. *Wall* 6J **11**
Harcourt Rd. *SW19* 2B **4**
Harcourt Rd. *T Hth* 1C **12**
Harcourt Rd. *Wall* 6J **11**
Hardcastle Clo. *Croy* 1K **13**
Hardcourts Clo. *W Wick* 5G **15**
Harding Clo. *Croy* 5J **13**
Hardings La. *SE20* 1C **8**
Hardy Rd. *SW19* 2C **4**
Harefield Rd. *SW16* 2C **6**
Hares Bank. *New Ad* 4J **21**
Harewood Gdns. *S Croy* 2A **26**
Harewood Rd. *SW19* 1F **5**
Harewood Rd. *S Croy* 1H **19**
Harland Av. *Croy* 5J **13**
Harland Clo. *SW19* 5C **4**
Harman Pl. *Purl* 5E **18**
Harmony Clo. *Wall* 3A **18**
Harold Rd. *SE19* 2G **7**
Harold Rd. *Sutt* 6E **10**
Harriet Gdns. *Croy* 4K **13**
Harrington Clo. *Croy* 4B **12**
Harrington Ct. *Croy* 4G **13** (3E **28**)
Harrington Rd. *SE25* 6K **7**
Harrison's Ri. *Croy* 5E **12** (4A **28**)
Harrow Gdns. *Warl* 3E **26**
Harrow Rd. *Cars* 1F **17**
Harrow Rd. *Warl* 2E **26**
Hartfield Cres. *SW19* 2A **4**
Hartfield Gro. *SE20* 3B **8**
Hartfield Rd. *SW19* 2A **4**
Hartland Rd. *Mord* 2B **10**
Hartland Way. *Croy* 5D **14**
Hartland Way. *Mord* 2A **10**
Hartley Down. *Purl* 2C **24**
Hartley Farm. *Purl* 2C **24**
Hartley Hill. *Purl* 2C **24**
Hartley Old Rd. *Purl* 2C **24**
Hartley Rd. *Croy* 2F **13**
Hartley Way. *Purl* 2C **24**
Harts Cft. *Croy* 3D **20**
Harwood Av. *Mitc* 5F **5**
Haslam Av. *Sutt* 3A **10**
Haslemere Av. *Mitc* 4E **4**
Haslemere Clo. *Wall* 7B **12**
Haslemere Rd. *T Hth* 7E **6**
Hassocks Rd. *SW16* 3A **6**
Hastings Rd. *Croy* 3J **13**
Hatch La. *Coul* 2G **23**
Hatch Rd. *SW16* 4B **6**
Hatfield Clo. *Mitc* 6E **4**
Hatfield Clo. *Sutt* 3C **16**
Hatfield Mead. *Mord* 7B **4**
Hathaway Rd. *Croy* 2E **12**
Hatherleigh Clo. *Mord* 6B **4**
Hatton Gdns. *Mitc* 7G **5**
Hatton Rd. *Croy* 3D **12**
Havelock Rd. *Croy* 4J **13**
Haven Ct. *Beck* 4H **9**
Havisham Pl. *SE19* 2E **6**
Hawes La. *W Wick* 3H **15**
Hawke Rd. *SE19* 1G **7**
Hawkes Rd. *Mitc* 3G **5**
Hawkhirst Rd. *Kenl* 2G **25**
Hawkhurst Rd. *SW16* 3A **6**
Hawkhurst Rd. *Kenl* 4H **25**
Hawkhurst Way. *W Wick* 4G **15**
Hawksbrook La. *Beck* 1G **15** (in two parts)
Hawkshead Clo. *Brom* 2K **9**
Hawthorn Clo. *Bans* 1A **22**
Hawthorn Cres. *SW17* 1H **5**
Hawthorn Cres. *S Croy* 5B **20**
Hawthorn Dri. *W Wick* 6K **15**
Hawthorne Av. *Cars* 2H **17**
Hawthorne Av. *Mitc* 4E **4**
Hawthorne Av. *T Hth* 3E **6**
Hawthorne Clo. *Sutt* 4D **10**
Hawthorn Gro. *SE20* 2A **8**
Hawthorn Rd. *Sutt* 1F **17**
Hawthorn Rd. *Wall* 2J **17**
Hawthorns. *S Croy* 7A **28**
Haycroft Clo. *Coul* 5E **24**
Haydn Av. *Purl* 1D **24**
Haydons Rd. *SW19* 1D **4**
Hayes Chase. *W Wick* 1J **15**
Hayes Hill. *Brom* 3K **15**
Hayes Hill Rd. *Brom* 3K **15**
Hayes La. *Beck* 5H **9**
Hayes La. *Kenl* 3E **24**
Hayes Mead Rd. *Brom* 3K **15**
Hayes Way. *Beck* 6H **9**
Hayfield Ct. *E'bury* 7E **28**
Hayne Rd. *Beck* 4E **8**
Haynes La. *SE19* 1H **7**
Haynt Wlk. *SW20* 5A **4**
Haysleigh Gdns. *SE20* 4K **7**
Hayward Clo. *SW19* 2C **4**
Hazel Bank. *SE25* 4H **7**
Hazelbury Clo. *SW19* 4B **4**
Hazel Clo. *Croy* 2C **14**
Hazel Clo. *Mitc* 6A **6**
Hazeldene Ct. *Kenl* 2G **25**
Hazelhurst. *Beck* 3J **9**
Hazel Way. *Coul* 6G **23**
Hazelwood Av. *Mord* 6C **4**
Hazelwood Gro. *S Croy* 7A **20**
Hazelwood Houses. *Short* 5K **9**
Hazelwood La. *Coul* 5F **23**
Hazledean Rd. *Croy* 4G **13** (3E **28**)
Headcorn Pl. *T Hth* 6C **6**
Headcorn Rd. *T Hth* 6C **6**
Headington Ct. *Croy* 7B **28**
Headley Av. *Wall* 7C **12**
Headley Dri. *New Ad* 2G **21**
Heath Clo. *Bans* 1C **22**
Heath Ct. *Croy* 7D **28**
Heathdene. *Tad* 5A **22**
Heathdene Rd. *SW16* 2C **6**
Heathdene Rd. *Wall* 2J **17**
Heath Dri. *Sutt* 3D **16**
Heatherdene Clo. *Mitc* 6E **4**
Heather Gdns. *Sutt* 1B **16**
Heatherset Gdns. *SW16* 2C **6**
Heather Way. *S Croy* 3C **20**
Heathfield Ct. *SE20* 2B **8**
Heathfield Dri. *Mitc* 3F **5**
Heathfield Gdns. *Croy* 6G **13** (6C **28**)
Heathfield Rd. *Croy* 6G **13** (6D **28**)
Heathfield Va. *S Croy* 3C **20**
Heath Gro. *SE20* 2B **8**
Heathhurst Rd. *S Croy* 3G **19**
Heath Rd. *T Hth* 5F **7**
Heathview Rd. *T Hth* 6D **6**
Heathway. *Croy* 5E **14**
Heaton Rd. *Mitc* 2H **5**
Heighton Gdns. *Croy* 7E **12** (7A **28**)
Heights, The. *Beck* 2H **9** (in two parts)
Helder St. *S Croy* 1G **19**
Helme Clo. *SW19* 1A **4**
Helmsdale Rd. *SW16* 3A **6**
Hempshaw Av. *Bans* 3G **23**
HENDERSON HOSPITAL 3C 16
Henderson Rd. *Croy* 1G **13**
Heneage Cres. *New Ad* 4H **21**
Henfield Rd. *SW19* 3A **4**
Hengelo Gdns. *Mitc* 6E **4**
Hengist Way. *Brom* 6K **9**
Henry Hatch Wlk. *Sutt* 2D **16**
Hepburn Gdns. *Brom* 3K **15**
Hepworth Ct. *Sutt* 3B **10**
Hepworth Rd. *SW16* 2B **6**
Heracles Clo. *Wall* 2B **18**
Herald Gdns. *Wall* 4J **11**
Herbert Rd. *SW19* 2A **4** (in two parts)
Hereford Ct. *Sutt* 2B **16**
Hereward Av. *Purl* 5D **18**
Hermes Way. *Wall* 2A **18**
Hermitage Gdns. *SE19* 2F **7**
Hermitage Grn. *SW16* 3B **6**
Hermitage La. *SE25* 1K **13** (in two parts)
Hermitage La. *SW16* 2C **6**
Hermitage Path. *SW16* 3B **6**
Hermitage Rd. *SE19* 2F **7**
Hermitage Rd. *Kenl* 2F **25**
Heron Clo. *Sutt* 7A **10**
Herondale. *S Croy* 3C **20**
Heron Rd. *Croy* 4H **13**
Herron Ct. *Brom* 6K **9**
Hertford Sq. *Mitc* 6B **6**
Hertford Way. *Mitc* 6B **6**
Hesiers Hill. *Warl* 4K **27**
Hesiers Rd. *Warl* 3K **27**
Hesterman Way. *Croy* 3C **12**
Hetley Gdns. *SE19* 2J **7**
Hewitt Clo. *Croy* 5F **15**
Hexham Rd. *Mord* 3C **10**
Heybridge Av. *SW16* 2B **6**
Heyford Av. *SW20* 5A **4**
Heyford Rd. *Mitc* 4F **5**
Highbarrow Rd. *Croy* 3K **13**
High Beech. *S Croy* 2H **19**
High Beeches Clo. *Purl* 4A **18**
High Broom Cres. *W Wick* 2G **15**
Highbury Av. *T Hth* 4D **6**
Highbury Clo. *W Wick* 4G **15**
Highbury Rd. *SW19* 1A **4**
Highclere Clo. *Kenl* 2F **25**
Highcroft Gdns. *NW11* 1C **28**
Highdaun Dri. *SW16* 6C **6**
Highdown La. *Sutt* 5C **16**
Higher Dri. *Bans* 7A **16**
Higher Dri. *Purl* 7D **18**
Highfield. *Bans* 4F **23**
Highfield Dri. *Brom* 6K **9**
Highfield Dri. *W Wick* 4G **15**
Highfield Hill. *SE19* 2G **7**
Highfield Rd. *Purl* 4C **18**
Highfield Rd. *Sutt* 7F **11**
Highfields. *Sutt* 4B **10**
High Gables. *Brom* 4K **9**
Highgrove Ct. *Beck* 2F **9**
Highgrove Ct. *Sutt* 1B **16**
Highgrove M. *Cars* 5G **11**
High Hill Rd. *Warl* 2H **27**
Highland Cotts. *Wall* 6K **11**
Highland Cft. *Beck* 1G **9**
Highland Rd. *SE19* 1H **7**
Highland Rd. *Brom* 3K **9**
Highland Rd. *Purl* 1D **24**
Highlands Ct. *SE19* 1H **7**
High La. *Warl* 5E **26** (in two parts)
High Mead. Cars *5E* ***16*** *(off Pine Cres.)*
High Mead. *W Wick* 4J **15**
High Path. *SW19* 3C **4**
High Pines. *Warl* 6B **26**
High Rd. *Reig & Coul* 7G **23**
High St. *SE20* 1B **8**
High St. *SE25* 6J **7**
High St. *Bans* 2B **22**
High St. *Beck* 4F **9**
High St. *Cars* 7H **11**
High St. *Cheam* 1A **16**
High St. *Croy* 4F **13** (3C **28**) (in two parts)
High St. *Purl* 5D **18**
High St. *Sutt* 6C **10**
High St. *T Hth* 6F **7**
High St. *W Wick* 3G **15**
High St. Colliers Wood. *SW19* 2E **4**
High Trees. *Croy* 3D **14**
High Vw. *Sutt* 5A **16**
Highview Av. *Wall* 7C **12**
High Vw. Clo. *SE19* 4J **7**
Highview Path. *Bans* 2B **22**
Highview Rd. *SE19* 1G **7**
Highway, The. *Sutt* 3D **16**
Highwold. *Coul* 5H **23**
Highwood. *Brom* 5K **9**
Highwood Clo. *Kenl* 4F **25**
Hilary Av. *Mitc* 5H **5**
Hildenborough Gdns. *Brom* 1K **9**

Hildenborough Ho. *Beck* 2E **8**
(off Bethersden Clo.)
Hildenlea Pl. *Brom* 4J **9**
Hillars Heath Rd. *Coul* 2B **24**
Hillborough Clo. *SW19*. 2D **4**
Hillbrow Rd. *Brom* 2K **9**
Hillbury Clo. *Warl* 5B **26**
Hillbury Gdns. *Warl* 5B **26**
Hillbury Rd. *Warl* 4K **25**
Hill Clo. *Purl* 7F **19**
Hillcote Av. *SW16* 2D **6**
Hillcrest Clo. *Beck* 1E **14**
Hillcrest Ct. *Sutt*. 1E **16**
Hillcrest Pde. *Coul* 1J **23**
Hillcrest Rd. *Purl* 4C **18**
Hillcrest Rd. *Whyt*. 4J **25**
Hillcrest Vw. *Beck*. 1E **14**
Hillcroft Av. *Purl*. 7K **17**
Hillcroome Rd. *Sutt* 1E **16**
Hillcross Av. *Mord* 7A **4**
Hilldale Rd. *Sutt*. 6A **10**
Hilldeane Rd. *Purl* 3D **18**
Hilldown Ct. *SW16*. 2B **6**
Hilldown Rd. *SW16* 2B **6**
Hilldown Rd. *Brom*. 3K **15**
Hill Dri. *SW16* 5C **6**
Hillfield Av. *Mord* 1F **11**
Hill Ho. Rd. *SW16* 1C **6**
Hillhurst Gdns. *Cat*. 7H **25**
Hillier Gdns. *Croy*. 7D **12**
Hilliers La. *Croy* 5B **12**
Hill La. *Kgswd* 7A **22**
Hill Path. *SW16* 1C **6**
Hill Rd. *Cars*. 1F **17**
Hill Rd. *Mitc* 3J **5**
Hill Rd. *Purl* 6C **18**
Hill Rd. *Sutt*. 7C **10**
Hillside. *Bans* 2A **22**
Hillside Av. *Purl* 7E **18**
Hillside Clo. *Bans* 3A **22**
Hillside Gdns. *Wall*. 2K **17**
Hillside Ho. *Croy* 6A **28**
Hillside Rd. *Brom*. 5K **9**
Hillside Rd. *Coul*. 5B **24**
Hillside Rd. *Croy* . . 7E **12** (7A **28**)
Hillside Rd. *Sutt*. 2A **16**
Hillside Rd. *Whyt* 5K **25**
Hillsmead Way. *S Croy* 7K **19**
Hill Top. *Mord* 1B **10**
Hill Top. *Sutt* 2A **10**
Hilltop Rd. *Whyt*. 4H **25**
Hilltop Wlk. *Wold*. 7D **26**
Hillview. *Whyt* *5K 25*
(off Hillside Rd.)
Hillview Clo. *Purl* 5E **18**
Hillview Rd. *Sutt* 5D **10**
Hillworth. *Beck*. 4G **9**
Hilton Way. *S Croy* 2A **26**
Himley Rd. *SW17*. 1F **5**
Hindhead Way. *Wall* 7B **12**
Hinton Rd. *Wall* 1K **17**
Hobart Ct. *S Croy* 7E **28**
Hobart Gdns. *T Hth* 5G **7**
Hogarth Cres. *SW19*. 3E **4**
Hogarth Cres. *Croy*. 2F **13**
Holborn Way. *Mitc*. 4G **5**
Holderness Way. *SE27* 1E **6**
Holland Av. *Sutt*. 3B **16**
Holland Rd. *SE25*. 7K **7**
Hollies Clo. *SW16* 1D **6**
Hollingsworth Rd. *Croy* . . . 1A **20**
Hollman Gdns. *SW16*. 1E **6**
Holly Clo. *Beck*. 6H **9**
Holly Clo. *Wall* 2J **17**
Holly Ct. *Sutt* 2B **16**
Holly Cres. *Beck*. 7E **8**
Hollycroft Clo. *S Croy* 7H **13**
Holly Hill Dri. *Bans*. 4B **22**
Holly La. *Bans* 3B **22**
Holly La. E. *Bans* 3C **22**
Holly La. W. *Bans* 4B **22**
Hollymead. *Cars*. 5G **11**
Hollymead Rd. *Coul* 5H **23**

Hollymeoak Rd. *Coul* 6J **23**
Holly Way. *Mitc* 6A **6**
Hollywoods. *Croy*. 3E **20**
Holmbury Ct. *S Croy* 7H **13**
Holmbury Gro. *Croy*. 2E **20**
Holmdene Clo. *Beck*. 4H **9**
Holmesdale Clo. *SE25*. 5J **7**
Holmesdale Rd. *Croy & SE25*
. . . . 7G **7**
Holmes Rd. *SW19*. 2D **4**
Holmewood Rd. *SE25*. 5H **7**
Holmlea Ct. *Croy* 6E **28**
Holmoaks Ho. *Beck* 4H **9**
Holmwood Av. *S Croy*. 7J **19**
Holmwood Gdns. *Wall* 1J **17**
Holne Chase. *Mord*. 1A **10**
Holt, The. *Mord* 6B **4**
Holt, The. *Wall* 6K **11**
Home Clo. *Cars* 4G **11**
Homefield. *Mord* 6B **4**
Homefield Gdns. *Mitc*. 4D **4**
Homefield M. *Beck* 3F **9**
Homefield Pk. *Sutt*. 1C **16**
Homefield Rd. *Coul & Cat*
. . . . 6E **24**
Homefield Rd. *Warl* 6B **26**
Homeland Dri. *Sutt*. 3C **16**
Homelands Dri. *SE19*. 2H **7**
Home Mdw. *Bans*. 3B **22**
Homemead Rd. *Croy* 1K **11**
Homer Rd. *Croy*. 1C **14**
Homestead Way. *New Ad* . . . 5H **21**
Honeysuckle Gdns. *Croy*. . . . 2C **14**
Honeywood Heritage Cen.
. . . . 6G **11**
Honeywood Wlk. *Cars* 6G **11**
Honister Heights. *Purl* 1G **25**
Hood Clo. *Croy* . . 3E **12** (1A **28**)
Hook Hill. *S Croy* 4H **19**
(in two parts)
Hooley. 7J **23**
Hope Clo. *Sutt* 7D **10**
Hope Ho. *Croy*. *6H 13*
(off Steep Hill)
Hopton Rd. *SW16*. 1C **6**
Horatio Pl. *SW19*. 3B **4**
Horatius Way. *Croy*. 7C **12**
Hornbeam Ter. *Cars* 3F **11**
Horner La. *Mitc* 4E **4**
Horsecroft. *Bans* 4A **22**
Horse Ride. *Cars*. 4F **17**
Horse Shoe Grn. *Sutt* 4C **10**
Horseshoe, The. *Bans*. 2A **22**
Horseshoe, The. *Coul* 7A **18**
Horsley Dri. *New Ad*. 2H **21**
Horton Way. *Croy*. 7C **8**
Hotham Rd. *SW19*. 2D **4**
Hotham Rd. M. *SW19*. 2D **4**
Houlder Cres. *Croy*. 1E **18**
Hove Gdns. *Sutt*. 3C **10**
Howard Rd. *SE20*. 3B **8**
Howard Rd. *SE25*. 7K **7**
Howard Rd. *Coul*. 2K **23**
Howards Crest Clo. *Beck* . . . 4H **9**
Howberry Rd. *T Hth*. 3G **7**
Howden Rd. *SE25*. 4J **7**
How La. *Coul*. 4H **23**
Howley Rd. *Croy* . . 5E **12** (4A **28**)
Hoylake Gdns. *Mitc* 5K **5**
Hubert Clo. *SW19* *3D 4*
(off Nelson Gro. Rd.)
Hudsons. *Tad*. 7A **28**
Hughes Wlk. *Croy*. 2F **13**
Hulverston Clo. *Sutt*. 4C **16**
Hunston Rd. *Mord* 3C **10**
Hunter Clo. *Wall*. 2B **18**
Hunter Rd. *T Hth*. 5G **7**
Hunter's Way. *Croy*. 6H **13**
Huntingdon Clo. *Mitc*. 5B **6**
Huntingfield. *Croy*. 2E **20**
Hunting Ga. M. *Sutt*. 5C **10**
Huntly Rd. *SE25*. 6H **7**
Huntsmans Clo. *Warl* 6B **26**

Hurlstone Rd. *SE25*. 7H **7**
Hurnford Clo. *S Croy* 4H **19**
Hurricane Rd. *Wall*. 2B **18**
Hurstcourt Rd. *Sutt* 4C **10**
Hurst Rd. *Croy* . . . 7G **13** (7D **28**)
Hurstview Grange. *S Croy*
. . . . 2E **18**
Hurst Vw. Rd. *S Croy* 2H **19**
Hurst Way. *S Croy* 1H **19**
Hutchingsons Rd. *New Ad*
. . . . 5H **21**
Hyatt Trad. Est. *Stev*. 7C **28**
Hyde Rd. *S Croy* 7H **19**
Hyde Wlk. *Mord*. 2B **10**
Hyrstdene. *S Croy*
. . . . 6E **12** (7A **28**)
Hythe Rd. *T Hth*. 4G **7**

I

Iberian Av. *Wall*. 6A **12**
Iden Clo. *Brom*. 5K **9**
Idlecombe Rd. *SW17*. 1H **5**
Ightham Ho. *Beck*. 2E **8**
(off Bethersden Clo.)
Ilex Way. *SW16*. 1D **6**
Ilkley Clo. *SE19*. 1G **7**
Illingworth Clo. *Mitc*. 5E **4**
Impact Ct. *SE20*. 4A **8**
Imperial Gdns. *Mitc*. 5J **5**
Imperial Way. *Croy*. 1C **18**
Inchwood. *Croy*. 6G **15**
Ingatestone Rd. *SE25*. 4A **8**
Ingham Clo. *S Croy* 3C **20**
Ingham Rd. *S Croy* 3B **20**
Ingleboro Dri. *Purl*. 7G **19**
Ingleby Way. *Wall*. 3A **18**
Inglemere Rd. *Mitc* 2G **5**
Ingleside Clo. *Beck*. 2F **9**
Ingleton Rd. *Cars* 3F **17**
Inglewood. *Croy*. 3D **20**
Inglis Rd. *Croy*. 3J **13**
Ingram Rd. *T Hth*. 3F **7**
Innes Clo. *SW20* 4A **4**
Innes Yd. *Croy*. . . . 5F **13** (5C **28**)
Inwood Av. *Coul*. 7D **24**
Inwood Clo. *Croy* 4D **14**
Iona Clo. *Mord*. 2C **10**
Ipswich Rd. *SW17*. 1H **5**
Iris Clo. *Croy*. 3C **14**
Isham Rd. *SW16*. 4B **6**
Island Rd. *Mitc*. 2G **5**
Iveagh Ct. *Beck* 5H **9**
Ivers Way. *New Ad*. 2G **21**
Ivychurch Clo. *SE20*. 2B **8**
Ivydale Rd. *Cars*. 4G **11**
Ivydene Clo. *Sutt* 6D **10**
Ivy Gdns. *Mitc*. 5A **6**

J

Jacksons Pl. *Croy*
. . . . 3G **13** (1E **28**)
Jackson's Way. *Croy*. 5F **15**
Jacob's Ladder. *Warl* 6K **25**
Jamaica Rd. *T Hth* 1E **12**
James Est. *Mitc*. 4G **5**
James Terry Ct. *S Croy* *7F 13*
(off Warham Rd.)
Jarrow Clo. *Mord* 7C **4**
Jarvis Rd. *S Croy*. 1G **19**
Jasmine Gdns. *Croy*. 5G **15**
Jasmine Gro. *SE20*. 3A **8**
Jasper Pas. *SE19* 1J **7**
Jasper Rd. *SE19*. 1J **7**
Jean Batten Clo. *Wall* 2C **18**
Jeffs Rd. *Sutt*. 6A **10**
Jengar Clo. *Sutt*. 6C **10**
Jennett Rd. *Croy* 5D **12**
Jenson Way. *SE19* 2J **7**
Jeppos La. *Mitc*. 6G **5**
Jersey Rd. *SW17*. 1J **5**

Jerviston Gdns. *SW16*. 1D **6**
Jesmond Clo. *Mitc*. 5J **5**
Jesmond Rd. *Croy* 2J **13**
Jessops Way. *Croy*. 1K **11**
John's Ct. *Sutt*. 1C **16**
John's La. *Mord* 7D **4**
Johnson Rd. *Croy* 2G **13**
Johnsons Clo. *Cars* 4G **11**
John's Ter. *Croy*. 3H **13**
John St. *SE25* 6K **7**
Johns Wlk. *Whyt* 6K **25**
Jonson Clo. *Mitc*. 6J **5**
Jordan Clo. *S Croy* 5J **19**
Joshua Clo. *S Croy* 2E **18**
Jubilee Way. *SW19* 3C **4**
Julien Rd. *Coul* 2A **24**
Junction Rd. *S Croy*. 7G **13**
June Clo. *Coul* 1J **23**
Juniper Gdns. *SW16* 3K **5**
Jutland Gdns. *Coul* 7C **24**

K

Kangley Bri. Rd. *SE26* 1E **8**
Katharine Ho. *Croy*. 4C **28**
Katharine St. *Croy*
. . . . 5F **13** (4C **28**)
Kathleen Godfree Ct. *SW19*
. . . . 1B **4**
Kayemoor Rd. *Sutt*. 1E **16**
Kearton Clo. *Kenl* 4F **25**
Keats Clo. *SW19* 1E **4**
Keats Way. *Croy*. 1B **14**
Kedeston Ct. *Sutt*. 3C **10**
Keeley Rd. *Croy*. . . . 4F **13** (3B **28**)
Keens Rd. *Croy* 6F **13** (6C **28**)
Keepers Ct. *S Croy*. 7B **28**
Kelling Gdns. *Croy*. 2E **12**
Kelsey Ga. *Beck*. 4G **9**
Kelsey La. *Beck* 4F **9**
(in two parts)
Kelsey Pk. Av. *Beck*. 4G **9**
Kelsey Pk. Rd. *Beck*. 4F **9**
Kelsey Sq. *Beck* 4F **9**
Kelsey Way. *Beck*. 5F **9**
Kelso Rd. *Cars*. 2D **10**
Kelvin Rd. *SE20*. 3A **8**
Kelvin Gdns. *Croy* 2B **12**
Kelvington Clo. *Croy* 2D **14**
Kemble Rd. *Croy*. 5E **12**
Kemerton Rd. *Beck* 4G **9**
Kemerton Rd. *Croy*. 2J **13**
Kemp Gdns. *Croy*. 1F **13**
Kempshott Rd. *SW16* 2A **6**
Kempton Wlk. *Croy*. 1D **14**
Kemsing Clo. *T Hth* 6F **7**
Kendale Rd. *Brom* 1K **9**
Kendal Gdns. *Sutt* 4D **10**
Kendal Ho. *SE20*. 4K **7**
(off Derwent Rd.)
Kendall Av. *Beck*. 4D **8**
Kendall Av. S. *S Croy* 3G **19**
Kendall Av. S. *S Croy* 4F **19**
Kendall Ct. *SW19*. 1E **4**
Kendall Rd. *Beck*. 4D **8**
Kendra Hall Rd. *S Croy*. . . . 2E **18**
Kenilworth Clo. *Bans* 3C **22**
Kenilworth Rd. *SE20*. 3C **8**
Kenley. 1F **25**
Kenley Clo. *Cat*. 7G **25**
(in two parts)
Kenley Ct. *Kenl*. 2E **24**
Kenley Gdns. *T Hth* 6E **6**
Kenley La. *Kenl* 1F **25**
Kenley Rd. *SW19* 4B **4**
Kenlor Rd. *SW17*. 1E **4**
Kenmare Dri. *Mitc*. 2G **5**
Kenmare Rd. *T Hth* 1D **12**
Kenmore Rd. *Kenl* 1E **24**
Kennedy Clo. *Mitc* 3H **5**
Kennedy Ct. *Beck*. 1E **14**
Kennel Wood Cres. *New Ad*
. . . . 5J **21**

Kenneth Rd. *Bans*. 2E **22**
Kennet Sq. *SW19*. 3E **4**
Kenny Dri. *Cars*. 3H **17**
Kensington Av. *T Hth*. 3D **6**
Kensington Ter. *S Croy*. 2G **19**
Kent Clo. *Mitc*. 6B **6**
Kent Ga. Way. *Croy*. 1E **20**
Kent Ho. La. *Beck*. 1D **8**
Kent Ho. Rd. *SE26 & Beck*. . 1D **8**
Kentone Ct. *SE25*. 6A **8**
Kent Rd. *W Wick*. 3G **15**
Kenwood Dri. *Beck*. 5H **9**
Kenwood Ridge. *Kenl*. 4E **24**
Kerrill Av. *Coul*. 6D **24**
Kersey Dri. *S Croy*. 6B **20**
Keston Av. *Coul*. 6D **24**
Keston Rd. *T Hth*. 1D **12**
Kestrel Ct. *S Croy*. 1F **19**
Kestrel Way. *New Ad*. 3J **21**
Keswick Av. *SW19*. 4B **4**
Keswick Clo. *Sutt*. 6D **10**
Keswick Ct. *Brom*. 6K **9**
Keswick Rd. *W Wick*. 4K **15**
Kettering St. *SW16*. 1K **5**
Kew Cres. *Sutt*. 5A **10**
Keynsham Rd. *Mord*. 3C **10**
Keynsham Wlk. *Mord*. 3C **10**
Keys Ct. *Croy*. 5D **28**
Kidderminster Pl. *Croy*. 3E **12**
Kidderminster Rd. *Croy*. 3E **12**
Kilburns Mill Clo. *Wall*. 4J **11**
Killick Ho. *Sutt*. 6C **10**
Kilmartin Av. *SW16*. 5D **6**
Kimberley Ga. *Brom*. 2K **9**
Kimberley Pl. *Purl*. 5D **18**
Kimberley Rd. *Beck*. 4C **8**
Kimberley Rd. *Croy*. 1E **12**
Kimble Rd. *SW19*. 1E **4**
Kimpton Ind. Est. *Sutt*. 4A **10**
Kimpton Rd. *Sutt*. 4A **10**
Kingcup Clo. *Croy*. 2C **14**
Kingfisher Gdns. *S Croy*. . . . 5C **20**
Kingfisher Way. *Beck*. 7C **8**
King Gdns. *Croy*. . . . 7E **12** (7A **28**)
King George VI Av. *Mitc*. . . . 6G **5**
King Henry's Dri. *New Ad*. . . 3G **21**
Kings Av. *Brom*. 1K **9**
King's Av. *Cars*. 2F **17**
Kingscote Rd. *Croy*. 2A **14**
Kingscroft Rd. *Bans*. 2E **22**
Kingsdale Rd. *SE20*. 2C **8**
Kingsdown Av. *S Croy*. 4E **18**
Kings Hall Rd. *Beck*. 2D **8**
Kings Keep. *Brom*. 5K **9**
Kings La. *Sutt*. 1E **16**
Kingsleigh Pl. *Mitc*. 5G **5**
Kingsley Av. *Bans*. 2B **22**
Kingsley Av. *Sutt*. 6E **10**
Kingsley Ct. *Sutt*. 2C **16**
Kingsley Rd. *Croy*. 3D **12**
Kingslyn Cres. *SE19*. 3H **7**
Kingsmead Av. *Mitc*. 5K **5**
King's Pde. *Cars*. 5G **11**
(off Wrythe La.)
Kings Rd. *SE25*. 5K **7**
Kings Rd. *SW19*. 1B **4**
Kings Rd. *Mitc*. 5H **5**
King's Rd. *Sutt*. 4B **16**
Kingston Av. *Sutt*. 5A **10**
Kingston Cres. *Beck*. 3E **8**
Kingston Gdns. *Croy*. 5B **12**
Kingston Rd. *SW20 & SW19*
. . . . 4A **4**
Kings Wlk. *S Croy*. 1A **26**
King's Way. *Croy*. 7C **12**
Kingsway. *W Wick*. 5K **15**
Kingsway Av. *S Croy*. 3B **20**
Kingswood Av. *Brom*. 5K **9**
Kingswood Av. *S Croy*. 2A **26**
Kingswood Av. *T Hth*. 7D **6**
Kingswood Dri. *Cars*. 3G **11**
Kingswood Dri. *Sutt*. 3C **16**
Kingswood La. *Warl*. 2B **26**
(in two parts)

Kingswood Rd. *SE20*. 1B **8**
Kingswood Rd. *SW19*. 2A **4**
Kingswood Rd. *Brom*. 6J **9**
Kingswood Way. *S Croy*. . . . 7B **20**
(in two parts)
Kingswood Way. *Wall*. 7B **12**
Kingsworth Clo. *Beck*. 7D **8**
King William IV Gdns. *SE20*
. . . . 1B **8**
Kinloss Rd. *Cars*. 2D **10**
Kinnaird Av. *Brom*. 1K **9**
Kintyre Clo. *SW16*. 4C **6**
Kipling Dri. *SW19*. 1E **4**
Kirklees Rd. *T Hth*. 7D **6**
Kirkley Rd. *SW19*. 3B **4**
Kirkly Clo. *S Croy*. 3H **19**
Kirk Ri. *Sutt*. 5C **10**
Kirksted Rd. *Mord*. 3C **10**
Kirkstone Way. *Brom*. 2K **9**
Kitchener Rd. *T Hth*. 5G **7**
Kitley Gdns. *SE19*. 3J **7**
Kittiwake Clo. *S Croy*. 4D **20**
Kittiwake Pl. *Sutt*. 7A **10**
Knapton M. *SW17*. 1H **5**
Knighton Clo. *S Croy*. 3E **18**
Knighton Pk. Rd. *SE26*. . . . . 1`C **8**
Knights Hill. *SE27*. 1E **6**
Knockholt Clo. *Sutt*. 4C **16**
Knole Clo. *Croy*. 1B **14**
Knoll, The. *Beck*. 3G **9**
Kooringa. *Warl*. 6A **26**
Kristina Ct. *Sutt*. 1B **16**
(off Overton Rd.)
Kuala Gdns. *SW16*. 3C **6**
Kynaston Av. *T Hth*. 7F **7**
Kynaston Cres. *T Hth*. 7F **7**
Kynaston Rd. *T Hth*. 7F **7**
Kynnersley Clo. *Cars*. 5G **11**

L

Laburnum Av. *Sutt*. 5F **11**
Laburnum Ct. *SE19*. 3J **7**
Laburnum Gdns. *Croy*. 2C **14**
Laburnum Ho. *Short*. 3J **9**
Laburnum Rd. *SW19*. 2D **4**
Laburnum Rd. *Mitc*. 4H **5**
Lacey Av. *Coul*. 7D **24**
Lacey Dri. *Coul*. 7D **24**
Lacey Grn. *Coul*. 7D **24**
Lackford Rd. *Coul*. 5G **23**
Lacock Clo. *SW19*. 1D **4**
Lacrosse Way. *SW16*. 3A **6**
Ladbrook Rd. *SE25*. 6G **7**
Ladygrove. *Croy*. 3D **20**
Laings Av. *Mitc*. 4G **5**
Lake Clo. *SW19*. 1A **4**
Lakefield Clo. *SE20*. 2A **8**
Lake Gdns. *Wall*. 5J **11**
Lakehall Gdns. *T Hth*. 7E **6**
Lakehall Rd. *T Hth*. 7E **6**
Laker Ind. Est. *SE26*. 1D **8**
(off Kent Ho. La.)
Lake Rd. *SW19*. 1A **4**
Lake Rd. *Croy*. 4E **14**
Lakers Ri. *Bans*. 3F **23**
Lakeside. *Beck*. 5G **9**
Lakeside. *Wall*. 6J **11**
Lakeside Clo. *SE25*. 4K **7**
Lakeview Rd. *SE27*. 1H **5**
Lambert Rd. *Bans*. 1B **22**
Lambert's Pl. *Croy*. 3G **13**
Lambeth Rd. *Croy*. 2D **12**
Lammas Av. *Mitc*. 4H **5**
Lancaster Av. *Mitc*. 7B **6**
Lancaster Clo. *Brom*. 6K **9**
Lancaster Ct. *Bans*. 1A **22**
Lancaster Ct. *Sutt*. 2B **16**
(off Mulgrave Rd.)
Lancaster Rd. *SE25*. 4J **7**
Lancastrian Rd. *Wall*. 2B **18**
Lancing Ho. *Croy*. 6D **28**

Lancing Rd. *Croy*. 2C **12**
Landau Ct. *S Croy*. 7F **13**
(off Warham Rd.)
Landscape Rd. *Warl*. 6A **26**
Landseer Clo. *SW19*. 3D **4**
Landseer Rd. *Sutt*. 1B **16**
Langcroft Clo. *Cars*. 5G **11**
Langdale Av. *Mitc*. 5G **5**
Langdale Pde. *Mitc*. 5G **5**
Langdale Rd. *T Hth*. 6D **6**
Langdon Rd. *Mord*. 7D **4**
Langdon Wlk. *Mord*. 7D **4**
Langham Dene. *Kenl*. 2E **24**
Langland Gdns. *Croy*. 4E **14**
Langley Oaks Av. *S Croy*. . . 4K **19**
Langley Pk. Rd. *Sutt*. 7D **10**
Langley Rd. *SW19*. 3A **4**
Langley Rd. *Beck*. 6D **8**
Langley Rd. *S Croy*. 3C **20**
Langley Way. *W Wick*. 3J **15**
Langton Way. *Croy*. 5H **13**
Lankton Clo. *Beck*. 3H **9**
Lansdell Rd. *Mitc*. 4H **5**
Lansdowne Ct. *Purl*. 4E **18**
Lansdowne Pl. *SE19*. 2J **7**
Lansdowne Rd. *Croy*
. . . . 4G **13** (2C **28**)
Lansdowne Rd. *Purl*. 6D **18**
Lapwing Clo. *S Croy*. 4D **20**
Larbert Rd. *SW16*. 2K **5**
Larch Clo. *Tad*. 7D **22**
Larch Clo. *Warl*. 6D **26**
Larch Ho. *Short*. 3K **9**
Larch Tree Way. *Croy*. 5F **15**
Larchvale Ct. *Sutt*. 2C **16**
Larcombe Clo. *Croy*. 6J **13**
Larcombe Ct. *Sutt*. 2C **16**
(off Worcester Rd.)
Larkin Clo. *Coul*. 4C **24**
Lark Way. *Cars*. 2F **11**
Latham's Way. *Croy*. 3C **12**
Lathkill Ct. *Beck*. 3E **8**
Latimer Rd. *SW19*. 1C **4**
Latimer Rd. *Croy*
. . . . 5E **12** (4A **28**)
Laud St. *Croy*. 5F **13** (5B **28**)
Laurel Ct. *S Croy*. 6H **13**
(off S. Park Hill Rd.)
Laurel Cres. *Croy*. 5F **15**
Laurel Gro. *SE20*. 2A **8**
Laurel Ho. *Short*. 3K **9**
Laurel Mnr. *Sutt*. 2D **16**
Laurels, The. *Bans*. 4A **22**
Laurier Rd. *Croy*. 2J **13**
Lavender Av. *Mitc*. 3F **5**
Lavender Clo. *Cars*. 6J **11**
Lavender Clo. *Coul*. 6K **23**
Lavender Gro. *Mitc*. 3F **5**
Lavender Rd. *Cars*. 6H **11**
Lavender Rd. *Croy*. 1C **12**
Lavender Rd. *Sutt*. 6E **10**
Lavender Va. *Wall*. 1A **18**
Lavender Wlk. *Mitc*. 5H **5**
Lavender Way. *Croy*. 1C **14**
Lavington Rd. *Croy*. 5C **12**
Lawdons Gdns. *Croy*
. . . . 6E **12** (7A **28**)
Lawford Clo. *Wall*. 3B **18**
Lawford Gdns. *Kenl*. 3F **25**
Lawn Rd. *Beck*. 2E **8**
Lawns, The. *SE19*. 3G **7**
Lawns, The. *Sutt*. 2A **16**
Lawrence Rd. *SE25*. 6J **7**
Lawrence Weaver Clo. *Mord*
. . . . 1B **10**
Lawrie Pk. Cres. *SE26*. 1A **8**
Lawrie Pk. Rd. *SE26*. 1A **8**
Lawson Wlk. *Cars*. 3H **17**
Layard Rd. *T Hth*. 4G **7**
Layhams Rd. *Warl & Kes*. . . 6K **21**
Layhams Rd. *W Wick & Kes*
. . . . 5J **15**
Layton Cres. *Croy*. 7D **12**
Leacroft Clo. *Kenl*. 3F **25**

Leafield Clo. *SW16*. 1E **6**
Leafield Rd. *SW20*. 5A **4**
Leafield Rd. *Sutt*. 4B **10**
Leafy Way. *Croy*. 4J **13**
Leamington Av. *Mord*. 6A **4**
Leander Rd. *T Hth*. 6C **6**
Lea Rd. *Beck*. 4F **9**
Leas La. *Warl*. 5C **26**
Leas Rd. *Warl*. 5C **26**
Leather Clo. *Mitc*. 4H **5**
Leaveland Clo. *Beck*. 6F **9**
Lebanon Rd. *Croy*. 3H **13**
Le Chateau. *Croy*. 3H **13**
Ledbury Pl. *Croy*. . . 6F **13** (7C **28**)
Ledbury Rd. *Croy*
. . . . 6G **13** (7C **28**)
Ledgers La. *Warl*. 4G **27**
Ledgers Rd. *Warl*. 3F **27**
Ledrington Rd. *SE19*. 1K **7**
Leechcroft Rd. *Wall*. 5H **11**
Lee Rd. *SW19*. 3C **4**
Lees, The. *Croy*. 4E **14**
Leeward Gdns. *SW19*. 1A **4**
Leeways, The. *Sutt*. 1A **16**
Legion Ct. *Mord*. 1B **10**
Leicester Av. *Mitc*. 6B **6**
Leicester Rd. *Croy*. 2H **13**
Leigham Ct. Rd. *SW16*. 1D **6**
Leigh Cres. *New Ad*. 2G **21**
Leighton Gdns. *Croy*. 3E **12**
Leighton Gdns. *S Croy*. . . . 7A **20**
Leighton St. *Croy*. . . 3E **12** (1A **28**)
Leith Towers. *Sutt*. 2C **16**
Lenham Rd. *Sutt*. 6C **10**
Lenham Rd. *T Hth*. 4G **7**
Lennard Av. *W Wick*. 4K **15**
Lennard Clo. *W Wick*. 4K **15**
Lennard Rd. *SE20 & Beck*. . . 1C **8**
Lennard Rd. *Croy*. . . 3F **13** (1B **28**)
Lennox Gdns. *Croy*
. . . . 6E **12** (7A **28**)
Leominster Rd. *Mord*. 1D **10**
Leominster Wlk. *Mord*. 1D **10**
Leonard Av. *Mord*. 7D **4**
Leonard Rd. *SW16*. 3K **5**
Leslie Gdns. *Sutt*. 1B **16**
Leslie Gro. *Croy*. . . . 3H **13** (1E **28**)
Leslie Gro. Pl. *Croy*. 3H **13**
Leslie Pk. Rd. *Croy*. 3H **13**
Lessness Rd. *Mord*. 1D **10**
Leveret Clo. *New Ad*. 5J **21**
Leverson St. *SW16*. 1K **5**
Lewin Rd. *SW16*. 1A **6**
Lewis Rd. *Mitc*. 4E **4**
(in two parts)
Lewis Rd. *Sutt*. 6C **10**
Lexden Rd. *Mitc*. 6A **6**
Lexington Ct. *Purl*. 4F **19**
Leyburn Gdns. *Croy*. 4H **13**
Leyton Rd. *SW19*. 2D **4**
Liberty Av. *SW19*. 3D **4**
Lichfield Way. *S Croy*. 4C **20**
Lifetimes Mus. 5F **13** (4C **28**)
Lilac Gdns. *Croy*. 5F **15**
Lilian Rd. *SW16*. 3K **5**
Lilleshall Rd. *Mord*. 1E **10**
Lime Clo. *Cars*. 4G **11**
Lime Ct. *Mitc*. 4E **4**
Lime Gro. *Warl*. 5D **26**
Limekiln Pl. *SE19*. 2J **7**
Lime Mdw. Av. *S Croy*. 7K **19**
Limes Av. *SE20*. 2A **8**
Limes Av. *Cars*. 3G **11**
Limes Av. *Croy*. 5D **12**
Limes Pl. *Croy*. 2G **13**
Limes Rd. *Beck*. 4G **9**
Limes Rd. *Croy*. 1G **13**
Lime Tree Ct. *S Croy*. 1F **19**
Lime Tree Gro. *Croy*. 5E **14**
Lime Tree Pl. *Mitc*. 3J **5**
Limewood Clo. *Beck*. 7H **9**
Limpsfield Av. *T Hth*. 7C **6**
Limpsfield Rd. *S Croy*. 6K **19**
Lincoln Clo. *SE25*. 1K **13**

Lincoln Ct. *S Croy* 7C **28**
Lincoln Rd. *SE25* 5A **8**
Lincoln Rd. *Mitc* 7B **6**
Lindbergh Rd. *Wall* 2B **18**
Linden Av. *Coul* 3J **23**
Linden Av. *T Hth* 6E **6**
Linden Gro. *SE26* 1B **8**
Linden Gro. *Warl* 5D **26**
Linden Leas. *W Wick* 4J **15**
Linden Pl. *Mitc* 6F **5**
Lindens, The. *New Ad* . . . 1H **21**
Linden Way. *Purl* 4K **17**
Lindfield Rd. *Croy* 1J **13**
Lindores Rd. *Cars* 2D **10**
Lind Rd. *Sutt* 7D **10**
Lindsay Ct. *Croy* 6D **28**
Lindsey Clo. *Mitc* 6B **6**
Lindway. *SE27* 1E **6**
Lingfield Gdns. *Coul* 6E **24**
Link La. *Wall* 1A **18**
Link Rd. *Wall* 3H **11**
Links Av. *Mord* 6B **4**
(in two parts)
Links Gdns. *SW16* 2D **6**
Links Rd. *SW17* 1H **5**
Links Rd. *W Wick* 3H **15**
Links Vw. Rd. *Croy* 5F **15**
Links Way. *Beck* 1F **15**
Linkway, The. *Sutt* 3D **16**
Linley Ct. *Sutt* 6D **10**
Linnet Clo. *S Croy* 4C **20**
Linton Clo. *Mitc* 2G **11**
Linton Glade. *Croy* 3D **20**
(in two parts)
Lion Grn. Rd. *Coul* 3A **24**
Lion Rd. *Croy* 7F **7**
Lipsham Clo. *Bans* 7E **16**
Lismore. *SW19* 1A **4**
(off Woodside)
Lismore Rd. *S Croy* 1H **19**
Lissoms Rd. *Coul* 5H **23**
Lister Clo. *Mitc* 3F **5**
Litchfield Av. *Mord* 2A **10**
Litchfield Rd. *Sutt* 6D **10**
Little Acre. *Beck* 5F **9**
Littlebrook Clo. *Croy* 1C **14**
Little Ct. *W Wick* 4K **15**
Littleheath Rd. *S Croy* . . . 2A **20**
Lit. Roke Av. *Kenl* 1E **24**
Lit. Roke Rd. *Kenl* 1F **25**
Littlers Clo. *SW19* 3D **4**
Littlestone Clo. *Beck* 1F **9**
Little Woodcote. 6J **17**
Lit. Woodcote Est. *Cars* . . . 5H **17**
Lit. Woodcote La. *Cars* . . . 6J **17**
Liverpool Rd. *T Hth* 5F **7**
Livingstone Rd. *T Hth* . . . 4F **7**
Llanthony Rd. *Mord* 7E **4**
Llewellyn Ct. *SE20* 3B **8**
Lloyd Av. *SW16* 3B **6**
Lloyd Av. *Coul* 1H **23**
Lloyd Pk. Av. *Croy* 6J **13**
Lloyds Way. *Beck* 7D **8**
Lockie Pl. *SE25* 5K **7**
Locks La. *Mitc* 3G **5**
Lodge Av. *Croy* 5D **12**
Lodge Clo. *Wall* 3H **11**
Lodge Gdns. *Beck* 7E **8**
Lodge Hill. *Purl* 2D **24**
Lodge La. *New Ad* 1F **21**
Lodge Pl. *Sutt* 7C **10**
Lodge Rd. *Croy* 1E **12**
Lodge Rd. *Wall* 7J **11**
Lomas Clo. *Croy* 2H **21**
Lombard Bus. Pk. *Croy* . . . 2C **12**
Lombard Rd. *SW19* 4C **4**
Lombard Roundabout. (Junct.)
. . . . 2C **12**
Lomond Gdns. *S Croy* . . . 2D **20**
London La. *Brom* 2K **9**
London Rd. *SW16* 3C **6**
London Rd. *SW17 & Mitc* . . 2G **5**
London Rd. *Brom* 2K **9**
London Rd. *Mitc & Wall* . . 2H **11**

London Rd. *Mord* 7B **4**
London Rd. *T Hth & Croy*
. . . . 7D **6** (1A **28**)
London Towers Basketball.
(Crystal Palace National
Sports Cen.) 1K **7**
Lonesome. **3K 5**
Lonesome Way. *SW16* . . . 3J **5**
Longacre Pl. *Cars.* 1H **17**
Longcroft Av. *Bans.* 1D **22**
Longfield Av. *Wall* 3H **11**
Longfield Dri. *Mitc* 2F **5**
Longford Gdns. *Sutt* 5D **10**
Longheath Gdns. *Croy* . . . 7B **8**
Longhurst Rd. *Croy* 1A **14**
Longlands Av. *Coul* 1H **23**
Long La. *Croy* 1A **14**
Longley Rd. *SW17* 1F **5**
Longley Rd. *Croy* 2E **12**
Longmead Ho. *SE27* 1F **7**
Long Mdw. Clo. *W Wick* . . 2H **15**
Longstone Rd. *SW17* 1J **5**
Longthornton Rd. *SW16* . . 4K **5**
Longwood Rd. *Kenl* 3G **25**
(in two parts)
Lonsdale Gdns. *SW16* . . . 6C **6**
Lonsdale Rd. *SE25* 6A **8**
Lorac Ct. *Sutt* 2B **16**
Loraine Ho. *Wall* 6J **11**
Lorne Av. *Croy* 2C **14**
Lorne Gdns. *Croy* 2C **14**
Loubet St. *SW17* 1G **5**
Love La. *SE25* 5A **8**
(in two parts)
Love La. *Mitc* 5F **5**
(in two parts)
Love La. *Mord* 2B **10**
Love La. *Sutt* 1A **16**
Lovelock Clo. *Kenl* 4F **25**
Lovett Dri. *Cars* 2D **10**
Lwr. Addiscombe Rd. *Croy*
. . . . 3H **13**
Lwr. Barn Rd. *Purl* 6F **19**
Lwr. Church St. *Croy*
. . . . 4E **12** (3A **28**)
Lwr. Coombe St. *Croy*
. . . . 6F **13** (6B **28**)
Lwr. Drayton Pl. *Croy*
. . . . 4E **12** (3A **28**)
Lower Dunnymans. *Bans* . . 1A **22**
Lwr. Green W. *Mitc.* 5F **5**
Lwr. Morden La. *Mord* . . . 1A **10**
Lower Northfield. *Bans.* . . 1A **22**
Lwr. Park Rd. *Coul* 5F **23**
Lwr. Pillory Downs. *Cars.* . . 7J **17**
Lwr. Sawley Wood. *Bans* . . 1A **22**
Lower Sq., The. *Sutt.* 7C **10**
Lwr. Sydenham Ind. Est. *SE26*
. . . . 1E **8**
Lowry Cres. *Mitc* 4F **5**
Lucas Rd. *SE20* 1B **8**
Lucerne Rd. *T Hth* 7E **6**
Ludford Clo. *Croy*
. . . . 5E **12** (6A **28**)
Lullington Gth. *Brom* 2K **9**
Lullington Rd. *SE20* 2K **7**
Lulworth Cres. *Mitc* 4F **5**
Lumley Gdns. *Sutt* 7A **10**
Lumley Rd. *Sutt* 7A **10**
Luna Rd. *T Hth* 5F **7**
Lunghurst Rd. *Wold* 7E **26**
Lunham Rd. *SE19* 1H **7**
Lupin Clo. *Croy* 3C **14**
Luscombe Ct. *Brom* 4K **9**
Lutea Ho. *Sutt* 2D **16**
(off Walnut M.)
Lyconby Gdns. *Croy.* 7B **8**
Lyle Clo. *Mitc.* 2H **11**
Lymbourne Clo. *Sutt.* 4B **16**
Lyme Regis Rd. *Bans.* . . . 4A **22**
Lymescote Gdns. *Sutt* . . . 4B **10**

Lymington Clo. *SW16* 4A **6**
Lymington Ct. *Sutt* 5C **10**
Lynden Hyrst. *Croy.* 4J **13**
Lyndhurst Av. *SW16.* 4A **6**
Lyndhurst Clo. *Croy.* 5J **13**
Lyndhurst Ct. *Sutt* 2B **16**
(off Grange Rd.)
Lyndhurst Rd. *Coul* 3H **23**
Lyndhurst Rd. *T Hth* 6D **6**
Lyndhurst Way. *Sutt.* 3B **16**
Lyndon Av. *Wall* 5H **11**
Lynford Ct. *Croy.* 6H **13**
(off Coombe Rd.)
Lynn Ct. *Whyt.* 5J **25**
Lynne Clo. *S Croy* 5B **20**
Lynne Ct. *S Croy* 6H **13**
(off Birdhurst Rd.)
Lynscott Way. *S Croy* . . . 3E **18**
Lynstead Ct. *Beck* 4D **8**
Lynton Rd. *Croy.* 1D **12**
Lynwood Av. *Coul.* 2J **23**
Lynwood Gdns. *Croy* 6C **12**
Lyon Rd. *SW19* 3D **4**
Lysander Rd. *Croy* 1C **18**
Lytchgate Clo. *S Croy.* . . . 2H **19**
Lytton Gdns. *Wall.* 6A **12**
Lyveden Rd. *SW17.* 1G **5**

Maberley Cres. *SE19* 2K **7**
Maberley Rd. *SE19.* 3J **7**
Maberley Rd. *Beck.* 5C **8**
Macclesfield Rd. *SE25* . . . 7B **8**
McIntosh Clo. *Wall.* 2B **18**
Mackenzie Rd. *Beck.* 4B **8**
McRae La. *Mitc.* 2G **11**
Madeira Av. *Brom.* 2K **9**
Madeira Rd. *Mitc.* 6G **5**
Madeline Rd. *SE20.* 2K **7**
Magdala Rd. *S Croy.* 2G **19**
Magnolia Ct. *Sutt* 2B **16**
(off Grange Rd.)
Magnolia Ct. *Wall* 7J **11**
Magpie Clo. *Coul* 5K **23**
Maisonettes, The. *Sutt* . . . 7A **10**
Maitland Rd. *SE26* 1C **8**
Majestic Way. *Mitc.* 4G **5**
Malcolm Rd. *SE20* 2B **8**
Malcolm Rd. *SE25* 1K **13**
Malcolm Rd. *SW19* 1A **4**
Malcolm Rd. *Coul.* 2A **24**
Malden Av. *SE25* 6A **8**
Maldon Ct. *Wall* 7K **11**
Maldon Rd. *Wall.* 7J **11**
Mallard Rd. *S Croy* 4C **20**
Mallard Wlk. *Beck* 7C **8**
Mallard Way. *Wall.* 3K **17**
Malling Clo. *Croy* 1B **14**
Malling Gdns. *Mord* 1D **10**
Mallinson Rd. *Croy.* 5A **12**
Mallow Clo. *Croy* 3L **14**
Mall, The. *Croy.* . . . 4F **13** (2B **28**)
Malmains Clo. *Beck* 6J **9**
Malmains Way. *Beck* 6H **9**
Malmesbury Rd. *Mord* . . . 2D **10**
Malvern Clo. *SE20* 4K **7**
Malvern Clo. *Mitc.* 5K **5**
Malvern Ct. *Sutt.* 2B **16**
Malvern Rd. *T Hth* 6D **6**
Manatee Pl. *Wall* 5A **12**
Manchester Rd. *T Hth.* . . . 1C **6**
Mandeville Clo. *SW20* . . . 3A **4**
Mann Clo. *Croy* 5F **13** (4B **28**)
Manor Clo. *Warl.* 4D **26**
Manor Ct. *W Wick* 3G **15**
Manor Gdns. *S Croy* 1J **19**
Manor Gro. *Beck.* 4G **9**
Manor Hill. *Bans.* 2G **23**
Manor La. *Sutt.* 7D **10**
Mnr. Park Clo. *W Wick* . . . 3G **15**

Mnr. Park Rd. *Sutt.* 7D **10**
Mnr. Park Rd. *W Wick* . . . 3G **15**
Manor Pl. *Mitc.* 5K **5**
Manor Pl. *Sutt.* 6C **10**
Manor Rd. *SE25* 6K **7**
Manor Rd. *SW20* 4A **4**
Manor Rd. *Beck.* 4G **9**
Manor Rd. *Mitc.* 6K **5**
Manor Rd. *Sutt* 2A **16**
Manor Rd. *Wall.* 6J **11**
Manor Rd. *W Wick* 4G **15**
Manor Rd. N. *Wall* 6J **11**
Manor Way. *Bans* 3G **23**
Manor Way. *Beck.* 4F **9**
Manor Way. *Mitc.* 5K **5**
Manor Way. *Purl* 6B **18**
Manor Way. *S Croy* 1H **19**
Manor Way, The. *Wall* . . . 6J **11**
Mnr. Wood Rd. *Purl.* 7B **18**
Mansard Beeches. *SW17.* . . 1H **5**
Mansel Rd. *SW19* 1A **4**
Mansfield Pl. *S Croy* 1G **19**
Mansfield Rd. *S Croy.* . . . 1G **19**
Manship Rd. *Mitc* 2H **5**
Manston Clo. *SE20* 3B **8**
Mantlet Clo. *SW16.* 2K **5**
Maple Clo. *Mitc* 3J **5**
Maple Clo. *Whyt.* 4J **25**
Maple Ct. *Croy.* 6C **28**
Maple Ct. *Croy.* 6B **28**
Mapledale Av. *Croy* 4K **13**
Maplehurst. *Brom* 4K **9**
Mapleleaf Clo. *S Croy* . . . 5B **20**
Maple M. *SW16* 1C **6**
Maple Rd. *SE20.* 3A **8**
Maple Rd. *Croy.* 6C **28**
Maples, The. *Bans* 1C **22**
Maplethorpe Rd. *T Hth* . . . 6D **6**
Maple Wlk. *Sutt.* 4C **16**
Marchmont Rd. *Wall* 2K **17**
Mardell Rd. *Croy.* 7C **8**
Marden Cres. *Croy.* 1C **12**
Marden Rd. *Croy.* 1C **12**
Mares Fld. *Croy.* 5H **13**
Marfleet Clo. *Cars.* 4F **11**
Margaret Way. *Coul* 6E **24**
Marham Gdns. *Mord* 1D **10**
Marian Ct. *Sutt* 7C **10**
Marian Rd. *SW16* 3K **5**
Mariette Way. *Wall.* 3B **18**
Marigold Way. *Croy* 3C **14**
Marion Rd. *T Hth* 7F **7**
Market, The. *Sutt.* 3D **10**
Markfield. *Croy* 4E **20**
(in three parts)
Marks Rd. *Warl* 5D **26**
Marlborough Clo. *SW19.* . . . 1F **5**
Marlborough Ct. *S Croy.* . . 6H **13**
(off Birdhurst Rd.)
Marlborough Ct. *Wall.* . . . 2K **17**
Marlborough M. *Bans* 2B **22**
Marlborough Rd. *SW19* . . . 1F **5**
Marlborough Rd. *S Croy...* . 2F **19**
Marlborough Rd. *Sutt* 5B **10**
Marlings Clo. *Whyt.* 4H **25**
Marlins Clo. *Sutt.* 7D **10**
Marlow Clo. *SE20.* 5A **8**
Marlowe Sq. *Mitc.* 6K **5**
Marlowe Way. *Croy* 4B **12**
Marlow Rd. *SE20.* 5A **8**
Marlpit Av. *Coul.* 4B **24**
Marlpit La. *Coul.* 3A **24**
Marqueen Towers. *SW16*
. . . . 2C **6**
Marshall Clo. *S Croy* 7K **19**
Marshall's Rd. *Sutt* 6C **10**
Marsh Av. *Mitc* 4G **5**
Marston Dri. *Warl* 5D **26**
Marston Way. *SE19* 2E **6**
Martin Clo. *S Croy* 5C **20**
Martin Clo. *Warl.* 3A **26**
Martin Ct. *S Croy.* 7G **13**
(off Birdhurst Rd.)
Martin Cres. *Croy* 3D **12**

Martin Gro.—Nelson Hospital

Martin Gro. Mord 5B 4
Martins Clo. W Wick 3J 15
Martin's Rd. Brom 4K 9
Martin Way. SW20 & Mord. 5A 4
Marwell Clo. W Wick 4K 15
Maryhill Clo. Kenl 4F 25
Maryland Rd. T Hth 3E 6
Maskani Wlk. SW16 2K 5
Mason Rd. Sutt 7C 10
Mason's Av. Croy 5F 13 (5C 28)
Masons Pl. Mitc 3G 5
Masters Clo. SW16 1K 5
Matilda Clo. SE19 2G 7
Matlock Cres. Sutt 6A 10
Matlock Gdns. Sutt 6A 10
Matlock Pl. Sutt 6A 10
Matthew Ct. Mitc 7A 6
Matthews Gdns. New Ad 5J 21
Maureen Ct. Beck 4B 8
Mawson Clo. SW20 4A 4
Maxwell Clo. Croy 3B 12
Mayberry Ct. Beck 2E 8
(off Copers Cope Rd.)
Maybourne Clo. SE26 1A 8
Maybury Ct. S Croy 7E 12
(off Haling Pk. Rd.)
Maybury St. SW17 1F 5
Maycross Av. Mord 6A 4
Mayday Rd. T Hth 1E 12
MAYDAY UNIVERSITY HOSPITAL 1E 12
Mayes Clo. Warl 5C 26
Mayfair Clo. Beck 3G 9
Mayfield Clo. SE20 3A 8
Mayfield Cres. T Hth 6C 6
Mayfield Rd. SW19 3A 4
Mayfield Rd. S Croy 3G 19
Mayfield Rd. Sutt 1E 16
Mayfield Rd. T Hth 6C 6
Mayford Clo. Beck 5C 8
Mayne Ct. SE26 1A 8
Maynooth Gdns. Cars 2G 11
Mayo Rd. Croy 7G 7
Mays Hill Rd. Brom 4K 9
Maywater Clo. S Croy 5G 19
Maywood Clo. Beck 2G 9
Mead Cres. Sutt 5F 11
Meadfoot Rd. SW16 2K 5
Meadow Av. Croy 1C 14
Meadow Clo. Purl 7A 18
Meadow Clo. Sutt 4D 10
Meadow Hill. Coul 1K 23
Meadow Ri. Coul 7A 18
Meadow Rd. SW19 2D 4
Meadow Rd. Brom 4K 9
Meadow Rd. Sutt 6F 11
Meadowside Rd. Sutt 3A 16
Meadows, The. Warl 4C 26
Meadow Stile. Croy 5F 13 (5C 28)
Meadow Vw. Rd. T Hth 7E 6
Meadow Wlk. Wall 5J 11
Meadow Way. Tad 4A 22
Mead Pl. Croy 3F 13 (1A 28)
Meadside Clo. Beck 3D 8
Meads, The. Mord 7F 5
Mead, The. Beck 3H 9
Mead, The. Wall 1A 18
Mead, The. W Wick 3J 15
Meadvale Rd. Croy 2J 13
Meadway. Beck 3H 9
Mead Way. Brom 1K 15
Mead Way. Coul 5B 24
Mead Way. Croy 4D 14
Meadway. Warl 3B 26
Meaford Way. SE20 2A 8
Medland Clo. Wall 3H 11
Medmenham. Cars 5E 16
(off Pine Cres.)
Medway Clo. Croy 1B 14
Melbourne Clo. SE20 2K 7
Melbourne Clo. Wall 7K 11
Melbourne Rd. SW19 3B 4
Melbourne Rd. Wall 7J 11
Melfort Av. T Hth 5E 6
Melfort Rd. T Hth 5E 6
Meller Clo. Croy 5B 12
Mellison Rd. SW17 1F 5
Mellow Clo. Bans 1D 22
Mellows Rd. Wall 7A 12
Melrose Av. SW16 5C 6
Melrose Av. Mitc 2J 5
Melrose Rd. SW19 4B 4
Melrose Rd. Coul 2J 23
Melrose Tudor. Wall 7B 12
(off Plough La.)
Melsa Rd. Mord 1D 10
Melton Ct. Sutt 2D 16
Melville Av. S Croy 7J 13
Melvin Rd. SE20 3B 8
Menlo Gdns. SE19 2G 7
Meopham Rd. Mitc 3K 5
Merantun Way. SW19 3C 4
Merebank La. Croy 7C 12
Mere End. Croy 2C 14
Merevale Cres. Mord 1D 10
Merlewood Clo. Cat 7G 25
Merlin Clo. Croy 6H 13
Merlin Clo. Mitc 5F 5
Merlin Clo. Wall 1C 18
Merlin Ct. Brom 5K 9
Merlin Gro. Beck 6E 8
Merrow Ct. Mitc 4E 4
Merrow Way. New Ad 1H 21
Merrymeet. Bans 1G 23
Mersham Pl. SE20 3A 8
Mersham Rd. T Hth 5G 7
Merton 2D 4
Merton Hall Gdns. SW20 3A 4
Merton Hall Rd. SW19 3A 4
Merton High St. SW19 2C 4
Merton Ind. Pk. SW19 3C 4
Merton Park 4B 4
Merton Pk. Pde. SW19 3A 4
Merton Pl. SW19 3D 4
(off Nelson Gro. Rd.)
Merton Rd. SE25 7K 7
Merton Rd. SW19 2C 4
Meteor Way. Wall 2B 18
Metro Bus. Cen., The. SE26 1E 8
Michael Rd. SE25 5H 7
Mickleham Way. New Ad 2J 21
Middle Clo. Coul 7D 24
Middlefields. Croy 3D 20
Middle Rd. SW16 4A 6
Middlesex Rd. Mitc 7B 6
Middle St. Croy 4F 13 (3C 28)
(in two parts)
Middleton Rd. Mord 1C 10
Middle Way. SW16 4A 6
Midholm Rd. Croy 5D 14
Midhurst. SE26 1B 8
Midhurst Av. Croy 2D 12
Midway. Sutt 2A 10
Milbury Grn. Warl 5J 27
Mile Rd. Wall 3J 11
Miles Ct. Croy 3A 28
Miles Rd. Mitc 5F 5
Milestone Clo. Sutt 2E 16
Milestone Rd. SE19 1J 7
Milford Gdns. Croy 7B 8
Milford Gro. Sutt 6D 10
Mill Clo. Cars 4H 11
Miller Clo. Mitc 2G 11
Miller Rd. SW19 1E 4
Miller Rd. Croy 3C 12
Mill Grn. Mitc 2H 11
Mill Grn. Bus. Pk. Mitc 2H 11
Mill Grn. Rd. Mitc 2H 11
Mill La. Cars 6G 11
Mill La. Croy 5C 12
Mill Rd. SW19 2D 4
Millside. Cars 4G 11
Mill Vw. Gdns. Croy 5C 14
Milne Pk. E. New Ad 5J 21
Milne Pk. W. New Ad 5J 21
Milner Pl. Cars 6H 11
Milner Rd. SW19 3C 4
Milner Rd. Mord 7E 4
Milner Rd. T Hth 5G 7
Milton Av. Croy 2G 13
Milton Av. Sutt 5E 10
Milton Clo. Sutt 5E 10
Milton Ho. Sutt 5B 10
Milton Rd. SW19 1D 4
Milton Rd. Cat 7G 25
Milton Rd. Croy 3G 13
Milton Rd. Mitc 2H 5
Milton Rd. Sutt 5B 10
Milton Rd. Wall 1K 17
Mina Rd. SW19 3B 4
Minden Rd. SE20 3A 8
Minden Rd. Sutt 4A 10
Minehead Rd. SW16 1C 6
Minshull Pl. Beck 2F 9
Minster Av. Sutt 4B 10
Minster Dri. Croy 6H 13
Mint Rd. Bans 3D 22
Mint Rd. Wall 6J 11
Mint Wlk. Croy 5F 13 (4C 28)
Mint Wlk. Warl 4C 26
Missenden Gdns. Mord 1D 10
Mistletoe Clo. Croy 3C 14
Mitcham 5G 5
Mitcham Garden Village. Mitc 7H 5
Mitcham Ind. Est. Mitc 3J 5
Mitcham La. SW16 1K 5
Mitcham Pk. Mitc 6F 5
Mitcham Rd. SW17 1G 5
Mitcham Rd. Croy 1B 12 (1A 28)
Mitchley Av. Purl & S Croy 7F 19
Mitchley Gro. S Croy 7K 19
Mitchley Hill. S Croy 7J 19
Mitchley Vw. S Croy 7K 19
Mitre Clo. Sutt 2D 16
Moffat Rd. T Hth 4F 7
Moir Clo. S Croy 3K 19
Molesey Dri. Sutt 5A 10
Moliner Ct. Beck 2F 9
Mollison Dri. Wall 2A 18
Monahan Av. Purl 6C 18
Monarch M. SW16 1D 6
Monarch Pde. Mitc 4G 5
Monivea Rd. Beck 2E 8
Monkleigh Rd. Mord 5A 4
Monksdene Gdns. Sutt 5C 10
Monks Orchard 2D 14
Monks Orchard Rd. Beck 3F 15
Monks Rd. Bans 4B 22
Monks Way. Beck 1F 15
Monmouth Clo. Mitc 6B 6
Montacute Rd. Mord 1E 10
Montacute Rd. New Ad 3H 21
Montague Av. S Croy 6H 19
Montague Rd. SW19 2C 4
Montague Rd. Croy 3E 12 (1A 28)
Montagu Gdns. Wall 6K 11
Montana Clo. S Croy 4G 19
Montana Gdns. Sutt 7D 10
Montgomery Clo. Mitc 6B 6
Montgomery Ct. S Croy 7H 13
(off Birdhurst Rd.)
Montpelier Rd. Purl 4E 18
Montpelier Rd. Sutt 6D 10
Montrave Rd. SE20 1B 8
Montrose Gdns. Mitc 4G 5
Montrose Gdns. Sutt 4C 10
Moore Clo. Mitc 4J 5
Moore Clo. Wall 2B 18
Moore Rd. SE19 1F 7
Moore Way. Sutt 3B 16
Moorsom Way. Coul 4A 24
Moray Ct. S Croy 7F 13
(off Warham Rd.)
Morden 5C 4
Morden Ct. Mord 6C 4
Morden Ct. Pde. Mord 6C 4
Morden Gdns. Mitc 6E 4
Morden Hall Rd. Mord 5C 4
Morden Park 1A 10
Morden Rd. SW19 3C 4
Morden Rd. Mord & Mitc 6D 4
Morden Way. Sutt 2B 10
More Clo. Purl 5D 18
Moreton Rd. S Croy 7G 13
Morgan Ct. Cars 6G 11
Morgan Wlk. Beck 6G 9
Morland Av. Croy 3H 13
Morland Clo. Mitc 5F 5
Morland Rd. SE20 1C 8
Morland Rd. Croy 3H 13
Morland Rd. Sutt 7D 10
Morley Rd. S Croy 4J 19
Morley Rd. Sutt 3A 10
Morris Clo. Croy 7D 8
Mortimer Rd. Mitc 3G 5
Mortlake Clo. Croy 5B 12
Mortlake Dri. Mitc 3F 5
Morton Clo. Wall 2C 18
Morton Gdns. Wall 7K 11
Morton Rd. Mord 7E 4
Moss Gdns. S Croy 2C 20
Mosslea Rd. SE20 1B 8
(in two parts)
Mosslea Rd. Whyt 3J 25
Mossville Gdns. Mord 5A 4
Mostyn Rd. SW19 3A 4
Moth Clo. Wall 2B 18
Mount Arlington. Brom 4K 9
(off Pk. Hill Rd.)
Mountbatten Clo. SE19 1H 7
Mountbatten Gdns. Beck 6D 8
Mount Clo. Cars 3H 17
Mount Clo. Kenl 3G 25
Mount Ct. W Wick 4K 15
Mounthurst Rd. Brom 2K 15
Mount Pk. Cars 2H 17
Mt. Park Av. S Croy 3E 18
Mount Rd. Mitc 4E 4
Mount, The. Coul 2H 23
Mount, The. S Croy 7F 13
(off Warham Rd.)
Mount, The. Warl 6K 25
Mount Way. Cars 3H 17
Mountwood Clo. S Croy 4A 20
Mowbray Ct. SE19 2J 7
Mowbray Rd. SE19 3J 7
Moys Clo. Croy 1B 12
Moyser Rd. SW16 1J 5
Muchelney Rd. Mord 1D 10
Muggeridge Clo. S Croy 7G 13
Mulberry Ho. Short 3K 9
Mulberry La. Croy 3J 13
Mulberry M. Wall 1K 17
Mulgrave Ct. Sutt 1C 16
(off Mulgrave Rd.)
Mulgrave Rd. Croy 5G 13 (5D 28)
Mulgrave Rd. Sutt 2A 16
Mulholland Clo. Mitc 4J 5
Mullards Clo. Mitc 3G 11
Munslow Gdns. Sutt 6E 10
Muschamp Rd. Cars 4F 11
Myrna Clo. SW19 2F 5
Myrtle Rd. Croy 5F 15
Myrtle Rd. Sutt 7D 10

N

Nadine Ct. Wall 3K 17
Namton Dri. T Hth 6C 6
Napier Rd. SE25 6A 8
Napier Rd. S Croy 2G 19
Narrow La. Warl 6A 26
Naseby Rd. SE19 1G 7
Nash Clo. Sutt 5E 10
Natal Rd. SW16 1A 6
Natal Rd. T Hth 5G 7
Neath Gdns. Mord 1D 10
Nelson Clo. Croy 3E 12 (1A 28)
Nelson Gro. Rd. SW19 3D 4
NELSON HOSPITAL 4A 4

Nelson Ind. Est.—Pampisford Rd.

Nelson Ind. Est. *SW19* 3C **4**
Nelson Rd. *SW19* 2C **4**
Nelson Rd. M. *SW19* 2C **4**
Nesbitt Sq. *SE19* 2H **7**
Netherlands, The. *Coul* 6K **23**
Netherne Dri. *Coul* 7J **23**
Netley Clo. *New Ad* 2H **21**
Netley Gdns. *Mord* 2D **10**
Netley Rd. *Mord* 2D **10**
Nettlecombe Clo. *Sutt* 3C **16**
Nettlestead Clo. *Beck* 2E **8**
Nettlewood Rd. *SW16* 2A **6**
Neville Clo. *Bans* 1C **22**
Neville Rd. *Croy* 2G **13**
Neville Wlk. *Cars* 2F **11**
New Addington **4H** 21
Newark Rd. *S Croy* 1G **19**
New Barn Clo. *Wall* 1C **18**
New Barn La. *Whyt* 3H **25**
New Barns Av. *Mitc* 6A **6**
(in two parts)
New Beckenham **1E** 8
New Clo. *SW19* 5D **4**
New Colebrooke Ct. Cars *2H* ***17***
(off Stanley Rd.)
Newgate. *Croy* 3F **13**
New Grn. Pl. *SE19* 1H **7**
Newhaven Rd. *SE25* 7G **7**
Newhouse Wlk. *Mord* 2D **10**
Newlands Pk. *SE26* 1B **8**
Newlands Rd. *SW16* 4B **6**
Newlands, The. *Wall* 2K **17**
Newlands Wood. *Croy* 3E **20**
Newman Rd. *Croy* 3C **12**
Newman Rd. Ind. Est. *Croy* 2C **12**
Newminster Rd. *Mord* 1D **10**
Newnet Clo. *Cars* 3G **11**
Newnham Clo. *T Hth* 4F **7**
New Pl. *Croy* 1F **21**
New Rd. *Mitc* 3G **11**
Newstead Wlk. *Cars* 2D **10**
Newton Ho. *SE20* 2C **8**
Newton Rd. *SW19* 2A **4**
Newton Rd. *Purl* 6K **17**
Nicholas Rd. *Croy* 6B **12**
Nicholson Rd. *Croy* 3J **13**
Nicola Clo. *S Croy* 1F **19**
Nightingale Clo. *Cars* 4H **11**
Nightingale Ct. *Short* 4K **9**
Nightingale Rd. *Cars* 5G **11**
Nightingale Rd. *S Croy* 5C **20**
Nimrod Rd. *SW16* 1J **5**
Nineacres Way. *Coul* 3B **24**
Ninehams Clo. *Cat* 7G **25**
Ninehams Gdns. *Cat* 7G **25**
Ninehams Rd. *Cat* 7G **25**
Nineteenth Rd. *Mitc* 6B **6**
Noble Ct. *Mitc* 4E **4**
Norbury **4C** 6
Norbury Av. *SW16* 3C **6**
Norbury Clo. *SW16* 3D **6**
Norbury Ct. Rd. *SW16* 5B **6**
Norbury Cres. *SW16* 3C **6**
Norbury Cross. *SW16* 5B **6**
Norbury Hill. *SW16* 2D **6**
Norbury Ri. *SW16* 5B **6**
Norbury Rd. *T Hth* 4F **7**
Norbury Trad. Est. *SW16* 4C **6**
Nore Hill Pinnacle **6G** 27
Norfolk Av. *S Croy* 4J **19**
Norfolk Ho. *SE20* 3B **8**
Norfolk Rd. *SW19* 2F **5**
Norfolk Rd. *T Hth* 5F **7**
Norhyrst Av. *SE25* 5J **7**
Nork Gdns. *Bans* 1A **22**
Nork Way. *Bans* 1A **22**
Norman Av. *S Croy* 4F **19**
Norman Rd. *SW19* 2D **4**
Norman Rd. *Sutt* 7B **10**
Norman Rd. *T Hth* 7E **6**
Normanton Rd. *S Croy* 7H **13**
North Acre. *Bans* 3A **22**
Northampton Rd. *Croy* 4K **13**
Northanger Rd. *SW16* 1B **6**
North Av. *Cars* 2H **17**
Northborough Rd. *SW16* 5A **6**
Northbrook Rd. *Croy* 7G **7**
Northcote Rd. *Croy* 1G **13**
Northdale Ct. *SE25* 5J **7**
North Down. *S Croy* 5H **19**
Northdown Rd. *Sutt* 4B **16**
N. Downs Cres. *New Ad* 3G **21**
(in two parts)
N. Downs Rd. *New Ad* 4G **21**
North Dri. *Beck* 6G **9**
North End. *Croy* 4F **13** (2B **28**)
Northernhay Wlk. *Mord* 6A **4**
Northey Av. *Sutt* 4A **16**
North Gdns. *SW19* 2E **4**
North Pl. *Mitc* 2G **5**
North Rd. *SW19* 1D **4**
North Rd. *W Wick* 3G **15**
Northspur Rd. *Sutt* 5B **10**
North St. *Cars* 5G **11**
Northumberland Gdns. *Mitc* 7A **6**
North Wlk. *New Ad* 1G **21**
(in two parts)
Northway. *Mord* 6A **4**
Northway. *Wall* 6K **11**
Northway Rd. *Croy* 1J **13**
Northwood Av. *Purl* 6D **18**
N. Wood Ct. *SE25* 5K **7**
Northwood Rd. *Cars* 1H **17**
Northwood Rd. *T Hth* 4E **6**
Northwood Way. *SE19* 1G **7**
Norton Gdns. *SW16* 4B **6**
Norwich Rd. *T Hth* 5F **7**
Norwood **1H** 7
Norwood New Town **1F** 7
Notson Rd. *SE25* 6A **8**
Nottingham Rd. *S Croy* 6F **13** (7B **28**)
Nova M. *Sutt* 2A **10**
Nova Rd. *Croy* 3E **12**
Nugent Rd. *SE25* 5J **7**
Nursery Av. *Croy* 4C **14**
Nursery Clo. *Croy* 4C **14**
Nursery Rd. *SW19* 4C **4**
Nursery Rd. *Sutt* 6D **10**
Nursery Rd. *T Hth* 6G **7**
Nutfield Clo. *Cars* 5F **11**
Nutfield Rd. *Coul* 3H **23**
Nutfield Rd. *T Hth* 6E **6**
Nutwell St. *SW17* 1F **5**

O

Oakapple Clo. *S Croy* 1A **26**
Oak Av. *Croy* 3F **15**
Oak Bank. *New Ad* 1H **21**
Oak Clo. *Sutt* 4D **10**
Oakdale Way. *Mitc* 2H **11**
Oakdene M. *Sutt* 3A **10**
Oakfield Cen. *SE20* 2A **8**
Oakfield Gdns. *Beck* 7G **9**
Oakfield Gdns. *Cars* 3F **11**
Oakfield Rd. *SE20* 2A **8**
Oakfield Rd. *Croy* 3F **13** (1B **28**)
Oakfield Rd. Ind. Est. *SE20* 2A **8**
Oak Gdns. *Croy* 4F **15**
Oak Gro. *W Wick* 3H **15**
Oak Gro. Rd. *SE20* 3B **8**
Oakhill Rd. *SW16* 3B **6**
Oakhill Rd. *Beck* 4H **9**
Oakhill Rd. *Sutt* 5C **10**
Oakhurst Ri. *Cars* 4F **17**
Oaklands. *Beck* 3G **9**
Oaklands. *Kenl* 1F **25**
Oaklands Av. *T Hth* 6D **6**
Oaklands Av. *W Wick* 5G **15**
Oaklands Ct. SE20 *2B* ***8***
(off Chestnut Gro.)
Oaklands Gdns. *Kenl* 1F **25**
Oaklands Rd. *Brom* 2K **9**
Oaklands Way. *Wall* 2A **18**
Oakleigh Way. *Mitc* 3J **5**
Oakley Av. *Croy* 6C **12**
Oakley Gdns. *Bans* 2C **22**
Oakley Rd. *SE25* 7A **8**
Oakley Rd. *Warl* 5K **25**
Oak Lodge Dri. *W Wick* 2G **15**
Oakmead Pl. *Mitc* 3F **5**
Oakmead Rd. *Croy* 1A **12**
Oak Row. *SW16* 4K **5**
Oaks La. *Croy* 5B **14**
(in two parts)
Oaks Rd. *Croy* 7A **14**
Oaks Rd. *Kenl* 1E **24**
Oaks Track. *Cars* 5G **17**
Oaks Way. *Cars* 2G **17**
Oaks Way. *Kenl* 1F **25**
Oakview Gro. *Croy* 3D **14**
Oakway. *Brom* 4J **9**
Oak Way. *Croy* 1C **14**
Oakwood. *Wall* 3J **17**
Oakwood Av. *Beck* 4H **9**
Oakwood Av. *Mitc* 4E **4**
Oakwood Av. *Purl* 6E **18**
Oakwood Dri. *SE19* 1G **7**
Oakwood Gdns. *Sutt* 4B **10**
Oakwood Pl. *Croy* 1D **12**
Oakwood Rd. *Croy* 1D **12**
Oates Clo. *Brom* 5J **9**
Oatlands Rd. *Tad* 6A **22**
Oban Rd. *SE25* 6G **7**
Ockley Ct. *Sutt* 6D **10**
Ockley Rd. *Croy* 2C **12**
Octavia Clo. *Mitc* 7F **5**
Old Barn La. *Kenl* 3J **25**
Old Bromley Rd. *Brom* 1J **9**
Old Coulsdon **7D** 24
Olden La. *Purl* 6D **18**
Old Farleigh Rd. *S Croy & Warl* 4B **20**
Oldfields Rd. *Sutt* 5A **10**
Oldfields Trad. Est. *Sutt* 5B **10**
Old Fox Clo. *Cat* 7E **24**
Old Lodge La. *Purl* 7C **18**
Old Oak Av. *Coul* 6F **23**
Old Pal. Rd. *Croy* 5E **12** (4A **28**)
Old School Clo. *SW19* 4B **4**
Old School Clo. *Beck* 4C **8**
Old Swan Yd. *Cars* 6G **11**
Old Town. *Croy* 5E **12** (4A **28**)
Old Westhall Clo. *Warl* 6B **26**
Oliver Av. *SE25* 5J **7**
Oliver Gro. *SE25* 6J **7**
Olive Rd. *SW19* 2D **4**
Oliver Rd. *Sutt* 6E **10**
Olley Clo. *Wall* 2B **18**
Olveston Wlk. *Cars* 1E **10**
Onslow Av. *Sutt* 4A **16**
Onslow Gdns. *S Croy* 6K **19**
Onslow Gdns. *Wall* 1K **17**
Onslow Rd. *Croy* 2C **12**
Orchard Av. *Croy* 4D **14**
Orchard Av. *Mitc* 3H **11**
Orchard Bus. Cen. *SE26* 1E **8**
Orchard Clo. *Bans* 1C **22**
Orchard Ct. *Wall* 7J **11**
Orchard Gdns. *Sutt* 7B **10**
Orchard Gro. *SE20* 2K **7**
Orchard Gro. *Croy* 2D **14**
Orchard Hill. *Cars* 7G **11**
Orchard Ri. *Croy* 3D **14**
Orchard Rd. *Mitc* 3H **11**
Orchard Rd. *S Croy* 1A **26**
Orchard Rd. *Sutt* 7B **10**
Orchard, The. *Bans* 2B **22**
Orchard Way. *Croy* 3D **14**
Orchard Way. *Sutt* 6E **10**
Orchid Mead. *Bans* 1C **22**
Oriel Clo. *Mitc* 6A **6**
Oriel Ct. *Croy* 3G **13** (1D **28**)
Orion Cen., The. *Croy* 4B **12**
Orleans Rd. *SE19* 1G **7**
Ormerod Gdns. *Mitc* 4H **5**
Ormsby. *Sutt* 2C **16**
Osborne Clo. *Beck* 6D **8**
Osborne Gdns. *T Hth* 4F **7**
Osborne Pl. *Sutt* 7E **10**
Osborne Rd. *T Hth* 4F **7**
Osborne Ter. SW17 *1G* ***5***
(off Church La.)
Osier Way. *Mitc* 7G **5**
Osmond Gdns. *Wall* 7K **11**
Osney Wlk. *Cars* 1E **10**
Osprey Clo. *Sutt* 7A **10**
Osprey Ct. *Beck* 2F **9**
Osprey Gdns. *S Croy* 4D **20**
Ospringe Clo. *SE20* 2B **8**
Osterley Gdns. *T Hth* 4F **7**
Osward. *Croy* 3E **20**
(in four parts)
Otford Clo. *SE20* 3B **8**
Otterbourne Rd. *Croy* 4F **13** (2B **28**)
Otterburn St. *SW17* 1G **5**
Outram Rd. *Croy* 4J **13**
Outwood La. *Kgswd & Coul* 7E **22**
Oval Ho. Croy *3H* ***13***
(off Oval Rd.)
Oval Rd. *Croy* 4G **13** (2E **28**)
Oval, The. *Bans* 1B **22**
Overbrae. *Beck* 1F **9**
Overbury Av. *Beck* 5G **9**
Overbury Cres. *New Ad* 4H **21**
Overhill. *Warl* 6B **26**
Overhill Rd. *Purl* 4D **18**
Overhill Way. *Beck* 7J **9**
Overstand Clo. *Beck* 7F **9**
Overstone Gdns. *Croy* 2E **14**
Overton Ct. *Sutt* 2B **16**
Overton Rd. *Sutt* 1B **16**
Overton's Yd. *Croy* 5F **13** (4B **28**)
Ovett Clo. *SE19* 1H **7**
Owen Clo. *Croy* 1G **13**
Owen Wlk. *SE20* 3K **7**
Owl Clo. *S Croy* 4C **20**
Ownstead Gdns. *S Croy* 5J **19**
Ownsted Hill. *New Ad* 4H **21**
Oxford Clo. *Mitc* 5K **5**
Oxford Rd. *SE19* 1G **7**
Oxford Rd. *Cars* 1F **17**
Oxford Rd. *Wall* 7K **11**
Oxlip Clo. *Croy* 3C **14**
Oxted Clo. *Mitc* 5E **4**
Oxtoby Way. *SW16* 3A **6**

P

Paddock Gdns. *SE19* 1H **7**
Paddock Pas. SE19 *1H* ***7***
(off Paddock Gdns.)
Paddocks, The. *Croy* 1F **21**
Paddock Wlk. *Warl* 6A **26**
Padua Rd. *SE20* 3B **8**
Pageant Wlk. *Croy* 5H **13**
Page Cres. *Croy* 7E **12**
Pagehurst Rd. *Croy* 2A **14**
Paget Av. *Sutt* 5E **10**
Pain's Clo. *Mitc* 4J **5**
Paisley Rd. *Cars* 3E **10**
Palace Grn. *Croy* 2E **20**
Palace Gro. *SE19* 2J **7**
Palace Rd. *SE19* 2J **7**
Palace Sq. *SE19* 2J **7**
Palace Vw. *Croy* 6E **14**
Palestine Gro. *SW19* 3E **4**
Palmer Clo. *W Wick* 5J **15**
Palmersfield Rd. *Bans* 1B **22**
Palmers Rd. *SW16* 4C **6**
Palmerston Gro. *SW19* 2B **4**
Palmerston Rd. *SW19* 2B **4**
Palmerston Rd. *Cars* 6G **11**
Palmerston Rd. *Croy* 7G **7**
Palmerston Rd. *Sutt* 7D **10**
Pampisford Rd. *Purl* 5D **18**

Papermill Clo.—Queen Elizabeth Gdns.

Papermill Clo. *Cars* 6H **11**
Parade, The. Cars *7G 11*
(off Beynon Rd.)
Parade, The. *Croy* 1B **12**
Parade, The. *Sutt* 5A **10**
Parchmore Rd. *T Hth* 4E **6**
Parchmore Way. *T Hth* 4E **6**
Parfour Dri. *Kenl* 3F **25**
Parish La. *SE20* 1C **8**
Parish M. *SE20* 2C **8**
Park Av. *Brom* 2K **9**
Park Av. *Cars* 1H **17**
Park Av. *Mitc* 2J **5**
Park Av. *W Wick* 4H **15**
Park Av. M. *Mitc* 2J **5**
Park Clo. *Cars* 1G **17**
Park Ct. *SE26* 1A **8**
Park Ct. S Croy *7F 13*
(off Warham Rd.)
Parker Clo. *Cars* 1G **17**
Parker Rd. *Croy* 6F **13** (6C **28**)
Parkfields. *Croy* 3E **14**
Parkfields Clo. *Cars* 6H **11**
Parkgate Rd. *Wall* 7H **11**
Parkham Ct. *Brom* 4K **9**
Park Hill. *Cars* 1F **17**
Pk. Hill Clo. *Cars* 7F **11**
Pk. Hill M. *S Croy* 7E **28**
Pk. Hill Ri. *Croy* 4H **13**
Pk. Hill Rd. *Brom* 4K **9**
Pk. Hill Rd. *Croy* 4H **13**
Pk. Hill Rd. *Wall* 2J **17**
Parkhurst Rd. *Sutt* 6E **10**
Park La. *Cars* 6H **11**
Park La. *Croy* 5G **13** (3D **28**)
Park La. Mans. *Croy* 5D **28**
Park Langley **6H 9**
Parkleigh Rd. *SW19* 4C **4**
Park Ley Rd. *Wold* 7C **26**
Park Mnr. Sutt *2D 16*
(off Christchurch Pk.)
Park Rd. *SE25* 6H **7**
Park Rd. *SW19* 1E **4**
Park Rd. *Bans* 2C **22**
Park Rd. *Beck* 2E **8**
Park Rd. *Cheam* 1A **16**
Park Rd. *Hack* 4J **11**
Park Rd. *Kenl* 2F **25**
Park Rd. *Wall* 7J **11**
Park Rd. *Warl* 1K **27**
Parkside Clo. *SE20* 2B **8**
Parkside Gdns. *Coul* 4J **23**
Park St. *Croy* 5F **13** (3C **28**)
Park Ter. *Cars* 5F **11**
Park, The. *SE19* 2H **7**
Park, The. *Cars* 7G **11**
Pk. View Ct. *SE20* 3A **8**
Pk. View Rd. *Croy* 3K **13**
Parkway. *New Ad* 3G **21**
Parkwood. *Beck* 2F **9**
Parkwood Rd. *SW19* 1A **4**
Parrs Clo. *S Croy* 3G **19**
Parry Rd. *SE25* 5H **7**
Parsley Gdns. *Croy* 3C **14**
Parsonage Clo. *Warl* 3E **26**
Parson's Mead. *Croy*
. . . . 3E **12** (1A **28**)
Partridge Knoll. *Purl* 6E **18**
Paston Clo. *Wall* 5K **11**
Pathfield Rd. *SW16* 1A **6**
Path, The. *SW19* 3C **4**
Patricia Gdns. *Sutt* 5B **16**
Patterdale Clo. *Brom* 1K **9**
Patterson Ct. *SE19* 2J **7**
Patterson Rd. *SE19* 1J **7**
Paul Gdns. *Croy* 4J **13**
Pavement Sq. *Croy* 3K **13**
Pawleyne Clo. *SE20* 2B **8**
Pawsons Rd. *Croy* 1F **13**
Peabody Clo. *Croy* 3B **14**
Peace Clo. *SE25* 6H **7**
Peacock Gdns. *S Croy* 4D **20**
Peaks Hill. *Purl* 4A **18**
Peaks Hill Ri. *Purl* 4B **18**
Peall Rd. *Croy* 1C **12**
Peall Rd. Ind. Est. *Croy* 1C **12**
Pearce Clo. *Mitc* 4H **5**
Pearson Clo. *Purl* 5E **18**
Peartree Clo. *Mitc* 4F **5**
Peartree Clo. *S Croy* 1A **26**
Pelham Rd. *SW19* 2B **4**
Pelham Rd. *Beck* 4B **8**
Pelton Av. *Sutt* 4C **16**
Pembroke Clo. *Bans* 4C **22**
Pembroke Rd. *SE25* 6H **7**
Pembroke Rd. *Mitc* 4H **5**
Pembury Clo. *Coul* 1H **23**
Pembury Rd. *SE25* 6K **7**
Pemdevon Rd. *Croy* 2D **12**
Pendle Rd. *SW16* 1J **5**
Penfold Clo. *Croy* 5D **12**
Penge **2B 8**
Penge La. *SE20* 2B **8**
Penge Rd. *SE25 & SE20* 5K **7**
Penistone Rd. *SW16* 2B **6**
Pennycroft. *Croy* 3D **20**
Penny Royal. *Wall* 1A **18**
Penrith Clo. *Beck* 3G **9**
Penrith Rd. *T Hth* 4F **7**
Penrith St. *SW16* 1K **5**
Penshurst Rd. *T Hth* 7E **6**
Penshurst Way. *Sutt* 2B **16**
Pentlands Clo. *Mitc* 5J **5**
Penwortham Rd. *SW16* 1J **5**
Penwortham Rd. *S Croy*
. . . . 4F **19**
Peppercorn Clo. *T Hth* 4G **7**
Peppermint Clo. *Croy* 2B **12**
Percy Rd. *SE20* 3C **8**
Percy Rd. *SE25* 7K **7**
Percy Rd. *Mitc* 2H **11**
Peregrine Gdns. *Croy* 4D **14**
Pershore Gro. *Cars* 1E **10**
Perth Rd. *Beck* 4H **9**
Peterborough Rd. *Cars* 1F **11**
Petersfield Cres. *Coul* 2B **24**
Petersham Clo. *Sutt* 7A **10**
Petersham Ter. Croy *5B 12*
(off Richmond Grn.)
Peterwood Pk. *Croy* 4C **12**
Peterwood Way. *Croy* 4C **12**
Petworth Clo. *Coul* 6K **23**
Pharaoh Clo. *Mitc* 2G **11**
Pheasant Clo. *Purl* 7E **18**
Philip Gdns. *Croy* 4E **14**
Philips Clo. *Cars* 3H **11**
Phipps Bri. Rd. *SW19* 4D **4**
Phoenix Clo. *W Wick* 4J **15**
Phoenix Ct. *S Croy* 7J **13**
Phoenix Ho. *Sutt* 6C **10**
Phoenix Rd. *SE20* 1B **8**
Phyllis Ho. *Croy* 7A **28**
Pickering Gdns. *Croy* 1J **13**
Pickhurst Grn. *Brom* 2K **15**
Pickhurst La. *W Wick & Brom*
. . . . 7K **9**
Pickhurst Mead. *Brom* 2K **15**
Pickhurst Pk. *Brom* 7K **9**
Pickhurst Ri. *W Wick* 2H **15**
Picquets Way. *Bans* 3A **22**
Pilgrim Clo. *Mord* 2C **10**
Pilgrims Way. *S Croy* 7J **13**
Pilton Est., The. *Croy*
. . . . 4E **12** (2A **28**)
Pincott Rd. *SW19* 2D **4**
Pine Av. *W Wick* 3G **15**
Pine Clo. *SE20* 3B **8**
Pine Clo. *Kenl* 4G **25**
Pine Coombe. *Croy* 6C **14**
Pine Cres. *Cars* 5E **16**
Pine Gro. *SW19* 1A **4**
Pine Ridge. *Cars* 2H **17**
Pines, The. *SE19* 2E **6**
Pines, The. *Coul* 5J **23**
Pines, The. *Purl* 7F **19**
Pine Wlk. *Bans* 4G **23**
Pine Wlk. *Cars* 4E **16**
Pine Wlk. E. *Cars* 5E **16**
Pine Wlk. W. *Cars* 4E **16**
Pinewood Clo. *Croy* 5D **14**
Pioneer Pl. *Croy* 3F **21**
Pioneers Ind. Pk. *Croy* 3B **12**
Piper's Gdns. *Croy* 2D **14**
Pipewell Rd. *Cars* 1F **11**
Pippin Clo. *Croy* 3E **14**
Piquet Rd. *SE20* 4B **8**
Pirbright Cres. *New Ad* 1H **21**
Pitcairn Rd. *Mitc* 2G **5**
Pitlake. *Croy* 4E **12** (2A **28**)
Pitt Rd. *T Hth & Croy* 7F **7**
Pittville Gdns. *SE25* 5K **7**
Pixton Way. *Croy* 3D **20**
Placehouse La. *Coul* 6C **24**
Plane Ho. *Short* 4K **9**
Plane Tree Wlk. *SE19* 1H **7**
Plantation La. *Warl* 6D **26**
Plawsfield Rd. *Beck* 3C **8**
Playground Clo. *Beck* 4C **8**
Pleasant Gro. *Croy* 5E **14**
Plesman Way. *Wall* 3B **18**
Pleydell Av. *SE19* 2J **7**
Plough La. *Purl* 3B **18**
Plough La. *Wall* 6B **12**
Plough La. Clo. *Wall* 7B **12**
Plummer La. *Mitc* 4G **5**
Plumpton Way. *Cars* 5F **11**
Plumtree Clo. *Wall* 2A **18**
Pole Cat All. *Brom* 5K **15**
Pollard Rd. *Mord* 7E **4**
Pollards Cres. *SW16* 5B **6**
Pollards Hill E. *SW16* 5C **6**
Pollards Hill N. *SW16* 5B **6**
Pollards Hill S. *SW16* 5B **6**
Pollards Hill W. *SW16* 5C **6**
Pollards Wood Rd. *SW16*
. . . . 5B **6**
Polworth Rd. *SW16* 1B **6**
Pond Cottage La. *Beck* 3F **15**
Pondfield Ho. *SE27* 1F **7**
Pondfield Rd. *Brom* 3K **15**
Pondfield Rd. *Kenl* 3E **24**
(in two parts)
Pool Clo. *Beck* 1F **9**
Pope Clo. *SW19* 1E **4**
Popes Gro. *Croy* 5E **14**
Poplar Av. *Mitc* 3G **5**
Poplar Rd. *SW19* 4B **4**
Poplar Rd. *Sutt* 3A **10**
Poplar Rd. S. *SW19* 5B **4**
Poplar Wlk. *Croy* . . . 4F **13** (1B **28**)
Poppy Clo. *Wall* 3H **11**
Poppy La. *Croy* 2B **14**
Porchester Mead. *Beck* 1F **9**
Porchfield Clo. *Sutt* 4C **16**
Portland Pl. SE25 . . . . *6K 7*
(off Portland Rd.)
Portland Rd. *SE25* 6K **7**
Portland Rd. *Mitc* 4F **5**
Portley Wood Rd. *Whyt* 7J **25**
Portnalls Clo. *Coul* 3J **23**
Portnalls Ri. *Coul* 3J **23**
Portnalls Rd. *Coul* 5J **23**
Postmill Clo. *Croy* 5B **14**
Potter Clo. *Mitc* 4J **5**
Potters Clo. *Croy* 3D **14**
Potter's La. *SW16* 1A **6**
Poulton Av. *Sutt* 5E **10**
Pound Rd. *Bans* 4A **22**
Pound St. *Cars* 7G **11**
Powell Clo. *Wall* 2B **18**
Powell Ct. *S Croy* 7A **28**
Precincts, The. *Mord* 1B **10**
Prescott Clo. *SW16* 2B **6**
Preshaw Cres. *Mitc* 5F **5**
Prestbury Cres. *Bans* 3G **23**
Preston Rd. *SE19* 1E **6**
Prestwood Gdns. *Croy* 2F **13**
Pretoria Rd. *SW16* 1J **5**
Pretty La. *Coul* 7K **23**
Price Rd. *Croy* 7E **12** (7A **28**)
Prickley Wood. *Brom* 3K **15**
Priddy's Yd. *Croy* . . . 4F **13** (3B **28**)
Pridham Rd. *T Hth* 6G **7**
Priestley Rd. *Mitc* 4H **5**
Primrose Clo. *Wall* 2J **11**
Primrose La. *Croy* 3B **14**
Prince Charles Way. *Wall* . . . 5J **11**
Prince George's Rd. *SW19* . . . 3E **4**
Prince of Wales Rd. *Sutt* . . . 4E **10**
Prince Rd. *SE25* 7H **7**
Princes Av. *Cars* 2G **17**
Princes Av. *S Croy* 2A **26**
Princes Clo. *S Croy* 2A **26**
Princes Rd. *SE20* 1C **8**
Prince's Rd. *SW19* 1B **4**
Princess Rd. *Croy* 1F **13**
Princes St. *Sutt* 6E **10**
Princes Way. *Croy* 7C **12**
Princes Way. *W Wick* 6K **15**
Pringle Gdns. *Purl* 4C **18**
Prior Av. *Sutt* 2F **17**
Priory Clo. *SW19* 3C **4**
Priory Clo. *Beck* 5D **8**
Priory Cres. *SE19* 2F **7**
Priory Gdns. *SE25* 6J **7**
Priory Rd. *SW19* 2E **4**
Priory Rd. *Croy* 2D **12**
Priory, The. *Croy* 6D **12**
Proctor Clo. *Mitc* 3H **5**
Progress Bus. Pk., The. *Croy*
. . . . 4C **12**
Progress Way. *Croy* 4C **12**
Promenade de Verdun. *Purl*
. . . . 5A **18**
Puffin Clo. *Beck* 7C **8**
Pump Ho. Clo. *Brom* 4K **9**
Pump Pail N. *Croy*
. . . . 5F **13** (5B **28**)
Pump Pail S. *Croy*
. . . . 5F **13** (5B **28**)
Purcell Clo. *Kenl* 1F **25**
Purley **5D 18**
PURLEY & DISTRICT WAR MEMORIAL HOSPITAL.
. . . . 5D **18**
Purley Bury Av. *Purl* 5F **19**
Purley Bury Clo. *Purl* 5F **19**
Purley Cross. (Junct.) **6D 18**
Purley Downs Rd. *Purl* 4F **19**
Purley Hill. *Purl* 6E **18**
Purley Knoll. *Purl* 5C **18**
Purley Oaks Rd. *S Croy* 3G **19**
Purley Pde. *Purl* 5D **18**
Purley Pk. Rd. *Purl* 4E **18**
Purley Ri. *Purl* 6C **18**
Purley Rd. *Purl* 5D **18**
Purley Rd. *S Croy* 2G **19**
Purley Va. *Purl* 7E **18**
Purley Vw. Ter. S Croy *2G 19*
(off Sanderstead Rd.)
Purley Way. *Croy* 2C **12**
Purley Way Cen., The. *Croy*
. . . . 4D **12**
Purley Way Corner. *Croy* . . . 2C **12**
Purley Way Cres. *Croy* 2C **12**
Pylbrook Rd. *Sutt* 5B **10**
Pylon Way. *Croy* 3B **12**
Pytchley Cres. *SE19* 1F **7**

Q

Quadrant Rd. *T Hth* 6E **6**
Quadrant, The. *SW20* 3A **4**
Quadrant, The. *Sutt* 1D **16**
Quail Gdns. *S Croy* 4D **20**
Quarr Rd. *Cars* 1E **10**
Quarry Pk. Rd. *Sutt* 1A **16**
Quarry Ri. *Sutt* 1A **16**
Queen Adelaide Ct. *SE20* 1B **8**
Queen Adelaide Rd. *SE20* 1B **8**
Queen Alexandra's Ct. *SW19*
. . . . 1A **4**
Queen Anne's Gdns. *Mitc* 5G **5**
Queen Elizabeth Gdns. *Mord*
. . . . 6B **4**

Queen Elizabeth's Dri.—Rowden Rd.

Queen Elizabeth's Dri. *New Ad* . . . 3J **21**
Queen Elizabeth's Gdns. *New Ad* . . . 4J **21**
Queen Elizabeth's Wlk. *Wall* . . . 6A **12**
Queenhill Rd. *S Croy* . . . 4A **20**
Queen Mary Rd. *SE19* . . . 1E **6**
Queen Mary's Av. *Cars* . . . 2G **17**
QUEEN MARY'S HOSPITAL FOR CHILDREN. . . . 3D **10**
Queens Clo. *Wall* . . . 7J **11**
Queen's Ct. *Belm* . . . 5B **16**
Queens Ct. *S Croy* . . . 7C **28**
Queensland Av. *SW19* . . . 3C **4**
Queen's Mead Rd. *Brom* . . . 4K **9**
Queens Pl. *Mord* . . . 6B **4**
Queens Rd. *SW19* . . . 1A **4**
Queens Rd. *Beck* . . . 4D **8**
Queens Rd. *Croy* . . . 1E **12**
Queens Rd. *Mord* . . . 6B **4**
Queen's Rd. *Sutt* . . . 4B **16**
Queens Rd. *Wall* . . . 7J **11**
Queen St. *Croy* . . . 6F **13** (6B **28**)
Queensway. *Croy* . . . 1C **18**
Queensway. *W Wick* . . . 5K **15**
Queenswood Av. *T Hth* . . . 7D **6**
Queenswood Av. *Wall* . . . 6A **12**
Quicks Rd. *SW19* . . . 2C **4**
Quintin Av. *SW20* . . . 3A **4**
Quinton Clo. *Beck* . . . 5H **9**
Quinton Clo. *Wall* . . . 6J **11**

R

Rackham M. *SW16* . . . 1K **5**
Radcliffe Gdns. *Cars* . . . 3F **17**
Radcliffe Rd. *Croy* . . . 4J **13**
Radnor Clo. *Mitc* . . . 6B **6**
Radnor Ter. *Sutt* . . . 2B **16**
Radnor Wlk. *Croy* . . . 1D **14**
Raglan Ct. *S Croy* . . . 7E **12** (7A **28**)
Railpit La. *Warl* . . . 2K **27**
Railway App. *Wall* . . . 7J **11**
Railway Pl. *SW19* . . . 1A **4**
Railway Ter. Coul . . . 2A 24
(off Station App.)
Raleigh Av. *Wall* . . . 6A **12**
Raleigh Ct. *Beck* . . . 3G **9**
Raleigh Ct. *Wall* . . . 1J **17**
Raleigh Gdns. *Mitc* . . . 5G **5**
(in two parts)
Raleigh Rd. *SE20* . . . 2C **8**
Ralph Perring Ct. *Beck* . . . 6F **9**
Rama Clo. *SW16* . . . 2B **6**
Rama La. *SE19* . . . 2J **7**
Rame Clo. *SW17* . . . 1H **5**
Ramones Ter. *Mitc* . . . 6B **6**
Ramsdale Rd. *SW17* . . . 1H **5**
Ramsey Ct. *Croy* . . . 3A **28**
Ramsey Rd. *T Hth* . . . 1C **12**
Ranfurly Rd. *Sutt* . . . 4B **10**
Ranmore Av. *Croy* . . . 5J **13**
Rathbone Sq. *Croy* . . . 6F **13** (6B **28**)
Ravensbourne Av. *Brom* . . . 2J **9**
Ravensbury Av. *Mord* . . . 7D **4**
Ravensbury Ct. Mitc . . . 6E 4
(off Ravensbury Gro.)
Ravensbury Gro. *Mitc* . . . 6E **4**
Ravensbury La. *Mitc* . . . 6E **4**
Ravensbury Path. *Mitc* . . . 6E **4**
Ravenscroft Rd. *Beck* . . . 4B **8**
Ravensdale Gdns. *SE19* . . . 2G **7**
Ravenshead Clo. *S Croy* . . . 5B **20**
Ravensmead Rd. *Brom* . . . 2J **9**
Ravens Wold. *Kenl* . . . 2F **25**
Ravenswood Av. *W Wick* . . . 3H **15**
Ravenswood Cres. *W Wick* . . . 3H **15**
Ravenswood Rd. *Croy* . . . 5E **12** (5A **28**)
Rawlins Clo. *S Croy* . . . 2D **20**
Rawnsley Av. *Mitc* . . . 7E **4**
Rayleigh Ri. *S Croy* . . . 1H **19**
Rayleigh Rd. *SW19* . . . 3A **4**
Raymead Av. *T Hth* . . . 7D **6**
Raymond Ct. *Sutt* . . . 1C **16**
Raymond Rd. *Beck* . . . 1A **4**
Rays Rd. *W Wick* . . . 2H **15**
Readens, The. *Bans* . . . 3F **23**
Reading Rd. *Sutt* . . . 7D **10**
Reads Rest La. *Tad* . . . 7B **22**
Recreation Rd. *Brom* . . . 4K **9**
Recreation Way. *Mitc* . . . 5A **6**
Rectory Ct. *Wall* . . . 6K **11**
Rectory Gdns. Beck . . . 3F 9
(off Rectory Rd.)
Rectory Grn. *Beck* . . . 3E **8**
Rectory Gro. *Croy* . . . 4E **12** (3A **28**)
Rectory La. *SW17* . . . 1H **5**
Rectory La. *Bans* . . . 1G **23**
Rectory La. *Wall* . . . 6K **11**
Rectory Pk. *S Croy* . . . 7H **19**
Rectory Rd. *Beck* . . . 4F **9**
Rectory Rd. *Sutt* . . . 5B **10**
Redbarn Clo. *Purl* . . . 5E **18**
Redclose Av. *Mord* . . . 7B **4**
Redcourt. *Croy* . . . 5H **13**
Reddington Clo. *S Croy* . . . 3G **19**
Reddons Rd. *Beck* . . . 2D **8**
Reddown Rd. *Coul* . . . 5A **24**
Redford Av. *Coul* . . . 1J **23**
Redford Av. *T Hth* . . . 6C **6**
Redford Av. *Wall* . . . 1B **18**
Redgrave Clo. *Croy* . . . 1J **13**
Redhouse Rd. *Croy* . . . 1A **12**
Redlands. *Coul* . . . 3B **24**
Redlands, The. *Beck* . . . 4G **9**
Red Lodge. *W Wick* . . . 3H **15**
Red Lodge Rd. *W Wick* . . . 3H **15**
Redroofs Clo. *Beck* . . . 3G **9**
Redruth Ho. *Sutt* . . . 2C **16**
Redstart Clo. *New Ad* . . . 4J **21**
Redvers Rd. *Warl* . . . 5C **26**
Redwing Clo. *S Croy* . . . 5C **20**
Redwing Rd. *Wall* . . . 1B **18**
Redwood Clo. *Kenl* . . . 1F **25**
Reedham Dri. *Purl* . . . 7C **18**
Reedham Pk. Av. *Purl* . . . 3D **24**
Rees Gdns. *Croy* . . . 1J **13**
Reeves Corner. *Croy* . . . 4E **12** (3A **28**)
Regal Cres. *Wall* . . . 5J **11**
Regency Ct. *Sutt* . . . 6C **10**
Regency M. *Beck* . . . 2H **9**
Regency Wlk. *Croy* . . . 1E **14**
Regent Pl. *SW19* . . . 1D **4**
Regent Pl. *Croy* . . . 3J **13**
Regents Clo. *S Croy* . . . 1H **19**
Regents Clo. *Whyt* . . . 5H **25**
Regina Ho. *SE20* . . . 3C **8**
Regina Rd. *SE25* . . . 5K **7**
Reid Av. *Cat* . . . 7G **25**
Reid Clo. *Coul* . . . 3J **23**
Reigate Av. *Sutt* . . . 3B **10**
Reigate Way. *Wall* . . . 7B **12**
Relko Gdns. *Sutt* . . . 7E **10**
Rendle Clo. *Croy* . . . 7J **7**
Renmuir St. *SW17* . . . 1G **5**
Renown Clo. *Croy* . . . 3E **12** (1A **28**)
Repton Clo. *Cars* . . . 7F **11**
Repton Ct. *Beck* . . . 3G **9**
Reservoir Clo. *T Hth* . . . 6G **7**
Restmor Way. *Wall* . . . 4H **11**
Retreat, The. *T Hth* . . . 6G **7**
Revell Rd. *Sutt* . . . 1A **16**
Revesby Rd. *Cars* . . . 1E **10**
Rewley Rd. *Cars* . . . 1E **10**
Reynard Dri. *SE19* . . . 2J **7**
Reynolds Clo. *SW19* . . . 3E **4**
Reynolds Clo. *Cars* . . . 3G **11**
Reynolds Way. *Croy* . . . 6H **13**
Rheingold Way. *Wall* . . . 3B **18**
Rhodesmoor Ho. Ct. *Mord* . . . 1B **10**
Rialto Rd. *Mitc* . . . 4H **5**
Ribblesdale Rd. *SW16* . . . 1J **5**
Richard Sharples Ct. *Sutt* . . . 2D **16**
Richland Av. *Coul* . . . 1H **23**
Richmond Av. *SW20* . . . 3A **4**
Richmond Ct. *Mitc* . . . 5E **4**
Richmond Grn. *Croy* . . . 5B **12**
Richmond Rd. *Coul* . . . 2J **23**
Richmond Rd. *Croy* . . . 5B **12**
Richmond Rd. *T Hth* . . . 5E **6**
Rickman Hill. *Coul* . . . 5J **23**
Rickman Hill Rd. *Coul* . . . 5J **23**
(in two parts)
Riddlesdown . . . **7F 19**
Riddlesdown Av. *Purl* . . . 5F **19**
Riddlesdown Rd. *Purl* . . . 4F **19**
(in two parts)
Ridge Ct. *Warl* . . . 5K **25**
Ridge Langley. *S Croy* . . . 4K **19**
Ridgemount Av. *Coul* . . . 4J **23**
Ridgemount Av. *Croy* . . . 3C **14**
Ridgemount Clo. *SE20* . . . 2A **8**
Ridge Pk. *Purl* . . . 4A **18**
Ridge Rd. *Mitc* . . . 2J **5**
Ridge Rd. *Sutt* . . . 3A **10**
Ridges Yd. *Croy* . . . 5E **12** (4A **28**)
Ridge, The. *Coul* . . . 1B **24**
Ridge, The. *Purl* . . . 4K **17**
Ridge Way. *SE19* . . . 1H **7**
Ridgeway, The. *Croy* . . . 5C **12**
Ridge Way, The. *S Croy* . . . 3H **19**
Ridgway Pl. *SW19* . . . 1A **4**
Ridgway, The. *Sutt* . . . 2E **16**
Riding Hill. *S Croy* . . . 7K **19**
Ridings, The. *Tad* . . . 7A **22**
Ridley Ct. *SW16* . . . 1B **6**
Ridley Rd. *SW19* . . . 2C **4**
Ridley Rd. *Warl* . . . 5B **26**
Ridsdale Rd. *SE20* . . . 3A **8**
Riesco Dri. *Croy* . . . 1B **20**
Rigby Clo. *Croy* . . . 5D **12**
Ringstead Rd. *Sutt* . . . 6E **10**
Ringwold Clo. *Beck* . . . 2D **8**
Ringwood Av. *Croy* . . . 2B **12**
Ripley Clo. *New Ad* . . . 1H **21**
Ripley Ct. *Mitc* . . . 4E **4**
Ripley Gdns. *Sutt* . . . 6D **10**
Rise, The. *S Croy* . . . 3B **20**
Ritchie Rd. *Croy* . . . 1A **14**
River Gdns. *Cars* . . . 4H **11**
River Gro. Pk. *Beck* . . . 3E **8**
Riverhead Dri. *Sutt* . . . 4C **16**
River Pk. Gdns. *Brom* . . . 2J **9**
Riverside Clo. *Wall* . . . 5J **11**
Riverside Dri. *Mitc* . . . 7F **5**
Riverside M. *Croy* . . . 5B **12**
Riverside Wlk. *W Wick* . . . 3G **15**
Robertsbridge Rd. *Cars* . . . 3D **10**
Roberts Ct. SE20 . . . 3B 8
(off Maple Rd.)
Robert St. *Croy* . . . 5F **13** (4C **28**)
Robinhood Clo. *Mitc* . . . 5K **5**
Robinhood La. *Mitc* . . . 5K **5**
Robin Hood La. *Sutt* . . . 7B **10**
Robin's Ct. *Beck* . . . 4J **9**
Robins Ct. S Croy . . . 6H 13
(off Birdhurst Rd.)
Robinson Rd. *SW17 & SW19* . . . 1F **5**
Roche Rd. *SW16* . . . 3C **6**
Rochester Clo. *SW16* . . . 2B **6**
Rochester Gdns. *Croy* . . . 5H **13**
Rochester Rd. *Cars* . . . 6G **11**
Roche Wlk. *Cars* . . . 1E **10**
Rochford Way. *Croy* . . . 1B **12**
Rock Clo. *Mitc* . . . 4E **4**
Rockhampton Rd. *S Croy* . . . 1H **19**
Rockmount Rd. *SE19* . . . 1G **7**
Roden Gdns. *Croy* . . . 1H **13**
Rodney Clo. *Croy* . . . 3E **12** (1A **28**)
Rodney Pl. *SW19* . . . 3D **4**
Rodney Rd. *Mitc* . . . 5F **5**
Roffey Clo. *Purl* . . . 3E **24**
Rogers Clo. *Coul* . . . 5E **24**
Rogers La. *Warl* . . . 5E **26**
Roke Clo. *Kenl* . . . 1F **25**
Rokell Ho. Beck . . . 1G 9
(off Beckenham Hill Rd.)
Roke Lodge Rd. *Kenl* . . . 7E **18**
Roke Rd. *Kenl* . . . 2F **25**
Rolleston Rd. *S Croy* . . . 2G **19**
Romanhurst Av. *Brom* . . . 6K **9**
Romanhurst Gdns. *Brom* . . . 6K **9**
Roman Ind. Est. *Croy* . . . 2H **13**
Roman Ri. *SE19* . . . 1G **7**
Roman Way. *Cars* . . . 3G **17**
Roman Way. *Croy* . . . 4E **12** (2A **28**)
Romany Gdns. *Sutt* . . . 2B **10**
Ronald Clo. *Beck* . . . 6E **8**
Rookley Clo. *Sutt* . . . 3C **16**
Rookstone Rd. *SW17* . . . 1G **5**
Rookwood Av. *Wall* . . . 6A **12**
Roper Way. *Mitc* . . . 4H **5**
Rosamund Clo. *S Croy* . . . 6G **13** (7E **28**)
Rose Av. *Mitc* . . . 3G **5**
Rose Av. *Mord* . . . 7D **4**
Rosebank. *SE20* . . . 2A **8**
Roseberry Av. *T Hth* . . . 4F **7**
Rosebery Gdns. *Sutt* . . . 6C **10**
Rosebery Rd. *Sutt* . . . 1A **16**
Rosebriars. *Cat* . . . 7H **25**
Rosecourt Rd. *Croy* . . . 1C **12**
Rosedale Pl. *Croy* . . . 2C **14**
Rosedene Av. *Croy* . . . 2B **12**
Rosedene Av. *Mord* . . . 7B **4**
Rosefield Clo. *Cars* . . . 7F **11**
Rosehill . . . **3D 10**
Rosehill. *Sutt* . . . 4C **10**
Rosehill Av. *Sutt* . . . 3D **10**
Rosehill Ct. Mord . . . 2D 10
(off St Helier Av.)
Rosehill Ct. Pde. Mord . . . 2D 10
(off St Helier Av.)
Rosehill Farm Mdw. *Bans* . . . 2C **22**
Rosehill Gdns. *Sutt* . . . 4C **10**
Rosehill Pk. W. *Sutt* . . . 3D **10**
Rose Hill Roundabout. (Junct.) . . . 2D 10
Rosemary Clo. *Croy* . . . 1B **12**
Rosemead Av. *Mitc* . . . 5K **5**
Rosery, The. *Croy* . . . 1C **14**
Rose Wlk. *Purl* . . . 5A **18**
Rose Wlk. *W Wick* . . . 4H **15**
Rosewell Clo. *SE20* . . . 2A **8**
Rosewood. *Sutt* . . . 4D **16**
Rosewood Gro. *Sutt* . . . 4D **10**
Roshni Ho. *SW17* . . . 1F **5**
Roslyn Clo. *Mitc* . . . 4E **4**
Rossdale. *Sutt* . . . 7F **11**
Rossetti Gdns. *Coul* . . . 5C **24**
Rossignol Gdns. *Cars* . . . 4H **11**
Rosslyn Clo. *W Wick* . . . 5K **15**
Ross Pde. *Wall* . . . 1J **17**
Ross Rd. *SE25* . . . 5G **7**
Ross Rd. *Wall* . . . 7K **11**
Rosswood Gdns. *Wall* . . . 1K **17**
Rostrevor Rd. *SW19* . . . 1B **4**
Rotherfield Rd. *Cars* . . . 6H **11**
Rotherhill Av. *SW16* . . . 1A **6**
Rothermere Rd. *Croy* . . . 7C **12**
Rothesay Av. *SW20* . . . 4A **4**
Rothesay Rd. *SE25* . . . 6G **7**
Rougemont Av. *Mord* . . . 1B **10**
Round Gro. *Croy* . . . 2C **14**
Roundshaw . . . **2B 18**
Roundshaw Cen. Wall . . . 2B 18
(off Mollison Dri.)
Rowan Clo. *SW16* . . . 3K **5**
Rowan Cres. *SW16* . . . 3K **5**
Rowan Gdns. *Croy* . . . 5J **13**
Rowan Ho. *Short* . . . 4K **9**
Rowan Rd. *SW16* . . . 4K **5**
Rowden Rd. *Beck* . . . 3D **8**

Rowdown Cres. New Ad 3J 21
Rowland Way. SW19 . . . . 3C 4
Roxton Gdns. Croy 7F 15
ROYAL MARSDEN HOSPITAL (SUTTON), THE. 4D 16
Royal Wlk. Wall 4J 11
Royston Av. Sutt. 5E 10
Royston Av. Wall 6A 12
Royston Rd. SE20 . . . . 3C 8
Rozel Ter. Croy 3B 28
Ruffetts Clo. S Croy 2A 20
Ruffetts, The. S Croy 2A 20
Ruffetts Way. Tad. 5A 22
Runes Clo. Mitc 6E 4
Runnymede. SW19 . . . . 3D 4
Runnymede Cres. SW16. . . . . 3A 6
Rural Way. SW16 . . . . 2J 5
Rushden Clo. SE19 . . . . 2G 7
Rushen Wlk. Cars 3E 10
Rushmead Clo. Croy 6J 13
Rushmon Pl. Cheam 1A 16
Rush, The. SW19. . . . . 3A 4
(off Kingston Rd.)
Rushy Mdw. La. Cars 5F 11
Ruskin Ho. S Croy 7G 13
(off Selsdon Rd.)
Ruskin Pde. S Croy 7D 28
Ruskin Rd. Cars. 7G 11
Ruskin Rd. Croy. . . . 4E 12 (2A 28)
Ruskin Way. SW19. . . . . 3E 4
Russell Clo. Beck. 5G 9
Russell Ct. SW16. . . . . 1C 6
Russell Ct. Purl. 4D 18
Russell Ct. Wall 7K 11
(off Ross Rd.)
Russell Grn. Clo. Purl. 4D 18
Russell Hill. Purl. 4C 18
Russell Hill Pl. Purl. 5D 18
Russell Hill Rd. Purl. 5D 18
Russell Pl. Sutt 2C 16
Russell Rd. SW19 . . . . 2B 4
Russell Rd. Mitc. 5F 5
Russell Way. Sutt. 7C 10
Russet Dri. Croy. 3D 14
Rusthall Clo. Croy 1B 14
Rustic Av. SW16. . . . . 2J 5
Rustington Wlk. Mord 2A 10
Rutherford Ri. Coul 4B 24
Rutherford Clo. Sutt. 1E 16
Rutland Clo. SW19 . . . . 2F 5
Rutland Dri. Mord 1A 10
Rutland Gdns. Croy 6H 13
Rutland Rd. SW19 . . . . 2F 5
Rutlish Rd. SW19. . . . . 3B 4
Rutter Gdns. Mitc. 6D 4
Ruxton Clo. Coul 2K 23
Ryan Ct. SW16. . . . . 2B 6
Rydal Clo. Purl. 7G 19
Rydal Dri. W Wick 4K 15
Rydal Mt. Brom 6K 9
Rydon's La. Coul. 7F 25
Rydon's Wood Clo. Coul . . . 7F 25
Ryecroft Lodge. SW16. . . . . 1E 6
Ryecroft Rd. SW16 . . . . 1D 6
Ryefield Rd. SE19. . . . . 1F 7
Rylandes Rd. S Croy 3A 20
Rymer Rd. Croy. 2H 13

S

Sackville Rd. Sutt. 2B 16
Sadler Clo. Mitc. 4G 5
Saffron Clo. Croy 1B 12
Sainsbury Rd. SE19. . . . . . . 1H 7
St Agatha's Gro. Cars 3G 11
St Alban's Gro. Cars 2F 11
St Alban's Rd. Sutt 6A 10
St Andrews Ct. Sutt 5F 11
St Andrew's Rd. Cars 5F 11
St Andrew's Rd. Coul 3H 23
St Andrew's Rd. Croy
. . . . 6F 13 (6B 28)
St Anne's Ct. W Wick 6K 15

St Ann's Way. S Croy 1E 18
St Arvan's Clo. Croy. 5H 13
St Aubyn's Rd. SE19. . . . . . 1J 7
St Augustine's Av. S Croy . 1F 19
St Barnabas Clo. Beck. 4H 9
St Barnabas Rd. Mitc. 2H 5
St Barnabas Rd. Sutt 7E 10
St Benet's Gro. Cars. 2D 10
St Bernards. Croy. 5H 13
St Cecilia's Clo. Sutt. 3A 10
St Christopher's Gdns. T Hth
. . . . 5D 6
ST CHRISTOPHER'S HOSPICE.
. . . . 1B 8
St Christopher's M. Wall. . . 7K 11
St Clair's Rd. Croy 4H 13
St Daniel Ct. Beck. 2F 9
(off Brackley Rd.)
St David's. Coul 4C 24
St David's Clo. W Wick. . . . 2G 15
St Dunstan's. (Junct.) 1A 16
St Dunstan's Hill. Croy 7A 10
St Dunstan's La. Beck. 1H 15
St Dunstan's Rd. SE25 . . . . . 6J 7
St Edward's Clo. New Ad. . . 5J 21
ST GEORGE'S HOSPITAL (TOOTING). 1E 4
St George's Rd. SW19 . . . . . 2A 4
(in two parts)
St George's Rd. Beck. 3G 9
St George's Rd. Mitc. 5J 5
St George's Rd. Wall. 7J 11
St George's Wlk. Croy
. . . . 5F 13 (3C 28)
St Helen's Cres. SW16 . . . . . 3C 6
St Helen's Rd. SW16 . . . . . . 3C 6
St Helier. 2F 11
St Helier Av. Mord 2D 10
ST HELIER HOSPITAL. . . . 3D 10
St Hugh's Rd. SE20 . . . . . . 3A 8
St James Av. Sutt. 7B 10
St James Pl. S Croy 1H 19
St James Rd. Cars 5F 11
St James Rd. Mitc 2H 5
St James Rd. Purl 7E 18
St James Rd. Sutt 7B 10
St James's Av. Beck. 5D 8
St James's Pk. Croy 2F 13
St James's Rd. Croy 2E 12
St John's Cotts. SE20. . . . . . 2B 8
St John's Hill. Coul. 4D 24
(in two parts)
St John's Hill. Purl. 3D 24
St John's Rd. SE20 . . . . 1B 8
St John's Rd. Cars 5F 11
St John's Rd. Croy
. . . . 5E 12 (4A 28)
St John's Rd. Sutt 4C 10
St Leonard's Rd. Croy. 5E 12
St Leonard's Wlk. SW16. . . . 2C 6
St Luke's Clo. SE25 . . . . . . 1A 14
St Luke's Rd. Whyt. 5J 25
St Mark's Pl. SW19 . . . . 1A 4
St Mark's Rd. SE25 . . . . 6K 7
St Marks Rd. Mitc 4G 5
St Martins La. Beck 7G 9
St Mary Av. Wall 5H 11
St Mary's Av. Brom 5K 9
St Mary's Rd. Wall. 6K 11
St Mary's Rd. SE25 . . . . 5H 7
St Mary's Rd. SW19. . . . . . . 1A 4
St Mary's Rd. S Croy 4G 19
St Merryn Ct. Beck. 2F 9
St Michael's Rd. Croy
. . . . 3F 13 (1C 28)
St Michael's Rd. Wall. 1K 17
St Monicas Rd. Kgswd. . . . 7A 22
St Nicholas Cen. Sutt. 7C 10
St Nicholas Glebe. SW17. . . 1H 5
St Nicholas Rd. Sutt. 7C 10
St Nicholas Way. Sutt. 6C 10
St Olaves Wlk. SW16. . . . . . 4K 5
St Oswald's Rd. SW16 . . . . . 3E 6
St Paul's Clo. Cars 3F 11

St Paul's Rd. T Hth. 5F 7
St Peter's Rd. Croy
. . . . 6G 13 (6D 28)
St Peter's St. S Croy. 7G 13
St Saviour's Rd. Croy 1E 12
Saints M. Mitc 5F 5
St Stephen's Cres. T Hth . . . 5D 6
St Winifreds. Kenl. 2F 25
Salcot Cres. New Ad. 4H 21
Salcott Rd. Croy. 5B 28
Salem Pl. Croy 5F 13 (5B 28)
Salisbury Av. Sutt. 1A 16
Salisbury Ct. Cars 7G 11
Salisbury Gdns. SW19 . . . . . 2A 4
Salisbury Rd. SE25 . . . . 1K 13
Salisbury Rd. SW19. . . . . . . 2A 4
Salisbury Rd. Bans. 1C 22
Salisbury Rd. Cars. 1G 17
Salmons La. Whyt 7H 25
Salmons La. W. Cat 7H 25
Saltash Clo. Sutt. 6A 10
Salterford Rd. SW17 . . . . . . 1H 5
Salter's Hill. SE19. . . . . 1G 7
Samos Rd. SE20 . . . . 4A 8
Sanctuary, The. Mord 1B 10
Sandbourne Av. SW19 . . . . . 4C 4
Sandersfield Gdns. Bans. . . 2B 22
Sandersfield Rd. Bans 2C 22
Sanderstead. 6K 19
Sanderstead Ct. Av. S Croy
. . . . 7K 19
Sanderstead Hill. S Croy. . . . 5H 19
Sanderstead Rd. S Croy . . . 2G 19
Sandfield Gdns. T Hth. 5E 6
Sandfield Rd. T Hth. 5E 6
Sandhills. Wall 6A 12
Sandhurst Clo. S Croy 3H 19
Sandhurst Way. S Croy 2H 19
Sandiford Rd. Sutt 4A 10
Sandilands. Croy 4K 13
Sandown Ct. Sutt. 2C 16
Sandown Dri. Cars 3H 17
Sandown Rd. SE25 . . . . 7A 8
Sandown Rd. Coul 3H 23
Sandpiper Rd. S Croy 5C 20
Sandpiper Rd. Sutt. 7A 10
Sandpit Rd. Brom. 1K 9
Sandpits Rd. Croy 6C 14
Sandringham Av. SW20 . . . . 3A 4
Sandringham Ct. Sutt. 3B 16
Sandringham Rd. T Hth 7F 7
Sandrock Pl. Croy 6C 14
Sandy Hill Rd. Wall. 3K 17
Sandy La. Mitc. 3H 5
(in two parts)
Sandy La. Sutt 2A 16
Sandy La. N. Wall. 7A 12
Sandy La. S. Wall. 3K 17
Sandy Way. Croy 5E 14
Sangley Rd. SE25 . . . . 6H 7
Saracen Clo. Croy 1G 13
Savile Gdns. Croy 4J 13
Savin Lodge. Sutt. 2D 16
(off Walnut M.)
Sawtry Clo. Cars. 2F 11
Saxonbury Clo. Mitc. 5E 4
Saxon Bus. Cen. SW19 . . . . 4D 4
Saxon Lodge. Croy 1C 28
Saxon Rd. SE25. . . . . 7G 7
Scarborough Clo. Sutt 5A 16
Scarbrook Rd. Croy
. . . . 5F 13 (5B 28)
Scawen Clo. Cars 6H 11
Scotsdale Clo. Sutt. 2A 16
Scotshall La. Warl 2H 27
Scott Clo. SW16. . . . . 3C 6
Scotts Av. Brom 4J 9
Scott's La. Brom. 5J 9
Seabrook Dri. W Wick 4K 15
Searchwood Rd. Warl. 5A 26
Seaton Rd. Mitc 4F 5
Secombe Theatre. 7C 10
Seddon Rd. Mord. 7E 4
Seely Rd. SW17. . . . . 1H 5

Sefton Rd. Croy. 3K 13
Selborne Rd. Croy 5H 13
Selby Grn. Cars 2F 11
Selby Rd. SE20 . . . . 4K 7
Selby Rd. Cars 2F 11
Selcroft Rd. Purl. 6E 18
Selhurst. 1G 13
Selhurst New Rd. SE25 . . . . 1H 13
Selhurst Pk. (Crystal Palace F.C. & Wimbledon F.C.). . . 6H 7
Selhurst Pl. SE25. . . . . 1H 13
Selhurst Rd. SE25 . . . . 1H 13
Sellincourt Rd. SW17. . . . . . 1F 5
Sellindge Clo. Beck. 2E 8
Selsdon. 4B 20
Selsdon Av. S Croy 1G 19
Selsdon Cres. S Croy. 4B 20
Selsdon Pk. Rd. S Croy & Croy
. . . . 3C 20
Selsdon Rd. S Croy
. . . . 7G 13 (7D 28)
Selwood Rd. Croy 4A 14
Selwood Rd. Sutt 3A 10
Semley Rd. SW16 . . . . 4B 6
Seneca Rd. T Hth 6F 7
Senga Rd. Wall 3H 11
Seven Acres. Cars 4F 11
Sevenoaks Clo. Sutt. 4B 16
Seward Rd. Beck. 4C 8
Seymour Ho. Sutt 1C 16
(off Mulgrave Rd.)
Seymour Pl. SE25 . . . . 6A 8
Seymour Rd. Cars 7H 11
Seymour Rd. Mitc 2H 11
Seymour Ter. SE20 . . . . 3A 8
Seymour Vs. SE20 . . . . 3A 8
Shaftesbury Rd. Beck. 4E 8
Shaftesbury Rd. Cars 2E 10
Shaldon Dri. Mord 7A 4
Shamrock Rd. Croy 1C 12
Shannon Ct. Croy. 1C 28
Shannon Way. Beck. 1G 9
Shap Cres. Cars. 3G 11
Sharland Clo. T Hth 1D 12
Sharon Ct. S Croy 7C 28
Shaw Clo. S Croy 6J 19
Shaw Cres. S Croy 6J 19
Shaw Way. Wall. 2B 18
Shaxton Cres. New Ad 3H 21
Shearing Dri. Cars 2D 10
Shearwater Rd. Sutt. 7A 10
Sheen Way. Wall 7C 12
Shelbourne Pl. Beck. 2E 8
Sheldon Clo. SE20. . . . . . . 3A 8
Sheldon St. Croy . . . 5F 13 (5B 28)
Sheldrick Clo. SW19 . . . . . . 4E 4
Shelford Ri. SE19. . . . . 2J 7
Shelley Clo. Coul 4C 24
Shelley Way. SW19 . . . . 1E 4
Shelton Av. Warl 4B 26
Shelton Clo. Warl. 4B 26
Shelton Rd. SW19 . . . . 3B 4
Shenfield Clo. Coul. 6K 23
Shepherds Way. S Croy . . . 2C 20
Shepley Clo. Cars. 5H 11
Sherborne Cres. Cars 2F 11
Sherborne Rd. Sutt 4B 10
Sherbourne Ct. Sutt. 1D 16
Sheridan Ct. Croy. 6H 13
(off Coombe Rd.)
Sheridan Rd. SW19 . . . . 3A 4
Sheridan Wlk. Cars 7G 11
Sheridan Way. Beck. 3E 8
Sheringham Rd. SE20 . . . . . 5B 8
Sherwood Av. SW16 . . . . . . 2A 6
Sherwood Ct. S Croy 7B 28
Sherwood Pk. Rd. Mitc 6K 5
Sherwood Pk. Rd. Sutt. 7B 10
Sherwood Rd. SW19 . . . . . . 2A 4
Sherwood Rd. Coul 3K 23
Sherwood Rd. Croy 2A 14
Sherwood Way. W Wick. . . . 4H 15
Shinners Clo. SE25 . . . . 7K 7
Shirley. 4B 14

Shirley Av. *Cheam* 3A **16**
Shirley Av. *Coul* 6E **24**
Shirley Av. *Croy* 3B **14**
Shirley Av. *Sutt*. 6E **10**
Shirley Chu. Rd. *Croy* 5B **14**
Shirley Ct. *SW16* 2B **6**
Shirley Cres. *Beck* 6D **8**
Shirley Heights. *Wall* 3K **17**
Shirley Hills Rd. *Croy* 7B **14**
Shirley Oaks. 3C **14**
SHIRLEY OAKS HOSPITAL.
. . . . 2B **14**
Shirley Oaks Rd. *Croy*. 3C **14**
Shirley Pk. *Croy* 4B **14**
Shirley Pk. Rd. *Croy* 3A **14**
Shirley Rd. *Croy* 2A **14**
Shirley Rd. *Wall* 3K **17**
Shirley Way. *Croy* 5D **14**
Shord Hill. *Kenl* 3G **25**
Shoreham Clo. *Croy* 1B **14**
Shortlands. 4K **9**
Shortlands Gdns. *Brom* 4K **9**
Shortlands Gro. *Brom* 5J **9**
Shortlands Rd. *Brom* 5J **9**
Shorts Rd. *Cars* 6F **11**
Shotfield. *Wall* 1J **17**
Shott Clo. *Sutt*. 7D **10**
Shrewsbury Rd. *Beck*. 5D **8**
Shrewsbury Rd. *Cars* 2F **11**
Shrewton Rd. *SW17*. 2G **5**
Shropshire Clo. *Mitc*. 6B **6**
Shrubland Rd. *Bans* 3A **22**
Shrublands Av. *Croy* 5F **15**
Sibthorp Rd. *Mitc*. 4G **5**
Sibton Rd. *Cars* 2F **11**
Siddons Rd. *Croy*. 5D **12**
Sidney Rd. *SE25* 7K **7**
Sidney Rd. *Beck*. 4D **8**
Silbury Av. *Mitc* 3F **5**
Silverdale Clo. *Sutt*. 6A **10**
Silver La. *W Wick* 6A **18**
Silver La. *W Wick* 4J **15**
Silverleigh Rd. *T Hth* 6C **6**
Silvermere Ct. *Purl*. 6D **18**
Silver Wing Ind. Est. *Croy*. . . 1C **18**
Silverwood Clo. *Beck* 2F **9**
Silverwood Clo. *Croy* 3E **20**
Simms Clo. *Cars*. 4F **11**
Simone Dri. *Kenl*. 3F **25**
Sinclair Ct. *Croy*. 4H **13**
Sinclair Dri. *Sutt*. 3C **16**
Singleton Clo. *SW17* 2G **5**
Singleton Clo. *Croy* 2F **13**
Sir Cyril Black Way. *SW19* . . 2B **4**
Sirdar Rd. *Mitc* 1H **5**
Sissinghurst Rd. *Croy*. 2K **13**
Skid Hill La. *Warl* 6K **21**
Skyline Ct. 5D **28**
Skyview Apartments. 3C **28**
Slines Oak Rd. *Warl* 6F **27**
SLOANE HOSPITAL, THE. . 3J **9**
Sloane Wlk. *Croy* 1E **14**
Smitham Bottom La. *Purl*. . . 5K **17**
Smitham Downs Rd. *Purl*. . . 7A **18**
Smiths Yd. *Croy*. 4C **28**
Smock Wlk. *Croy* 1F **13**
Snowdown Clo. *SE20*. 3B **8**
Soloms Ct. Rd. *Bans*. 4E **22**
(in two parts)
Somerfield Clo. *Tad* 6A **22**
Somerset Gdns. *SW16*. 5C **6**
Somerton Clo. *Purl*. 2D **24**
Somerville Rd. *SE20* 2C **8**
Sonning Rd. *SE25* 1K **13**
Sorrel Bank. *Croy*. 4D **20**
Sorrento Rd. *Sutt*. 5B **10**
Southampton Gdns. *Mitc* . . . 7B **6**
South Av. *Cars*. 2H **17**
South Beddington. 3J **9**
S. Border, The. *Purl* 5A **18**
Southbridge Pl. *Croy*
. . . . 6F **13** (6B **28**)
Southbridge Rd. *Croy*
. . . . 6F **13** (6B **28**)

Southbrook Rd. *SW16* 3B **6**
South Clo. *Mord*. 1B **10**
Southcote Rd. *SE25*. 7A **8**
Southcote Rd. *S Croy* 4H **19**
Southcroft Av. *W Wick*. 4H **15**
Southcroft Rd. *SW17 & SW16*
. . . . 1H **5**
South Croydon. 7G **13**
Southdown Rd. *Cars* 3H **17**
South Dri. *Bans* 7F **17**
South Dri. *Coul* 2A **24**
South Dri. *Sutt*. 3A **16**
S. Eden Pk. Rd. *Beck* 1G **15**
South End. *Croy*. 6F **13** (6C **28**)
Southend Rd. *Beck*. 3F **9**
Southern Av. *SE25* 5J **7**
Southey Rd. *SW19*. 2B **4**
Southey St. *SE20*. 2C **8**
Southfields Ct. *Sutt* 4B **10**
South Gdns. *SW19*. 2E **4**
S. Hill Rd. *Brom*. 5K **9**
Southholme Clo. *SE19*. 3H **7**
Southhill Ct. *Brom* 7K **9**
Southlands Clo. *Coul* 4C **24**
S. Lodge Av. *Mitc*. 6B **6**
South London Crematorium.
Mitc 4K **5**
Southly Clo. *Mitc* 5B **10**
South Norwood. 6J **7**
South Norwood Country Pk.
. . . . 6B **8**
S. Norwood Hill. *SE25* 3H **7**
South Pde. *Wall* 1K **17**
S. Park Ct. *Beck* 2F **9**
S. Park Hill Rd. *S Croy*
. . . . 7G **13** (7E **28**)
S. Park Rd. *SW19* 1B **4**
South Ri. *Cars* 3F **17**
South Rd. *SW19* 1D **4**
Southvale. *SE19* 1H **7**
Southview Clo. *SW17*. 1H **5**
S. View Ct. *SE19*. 2F **7**
Southview Gdns. *Wall*. 2K **17**
Southview Rd. *Warl* 6K **25**
(in three parts)
Southviews. *S Croy* 4C **20**
South Wlk. *W Wick* 5K **15**
Southwater Clo. *Beck*. 2G **9**
South Way. *Cars*. 4E **16**
South Way. *Croy* 5D **14**
Southway. *Wall*. 6K **11**
Southwell Rd. *Croy*. 1D **12**
South Wimbledon. 1C **4**
Southwood Av. *Coul*. 2K **23**
Sovereign Clo. *Purl*. 4C **18**
Sovereign Ct. 7C **28**
Spa Clo. *SE25* 3H **7**
Spa Hill. *SE19* 3G **7**
Spalding Rd. *SW17* 1J **5**
Speakers Ct. *Croy* 3G **13**
Speke Rd. *T Hth*. 4G **7**
Spencer Hill Rd. *SW19*. 2A **4**
Spencer Pl. *Croy* 2G **13**
Spencer Rd. *Brom* 2K **9**
Spencer Rd. *Cat*. 7G **25**
Spencer Rd. *Mitc*. 5H **5**
Spencer Rd. *Mit J* 2H **11**
Spencer Rd. *S Croy* 7H **13**
Spice's Yd. *Croy*. 6F **13** (6C **28**)
Spindlewood Gdns. *Croy* . . . 6H **13**
Spinney Clo. *Beck* 6G **9**
Spinney Gdns. *SE19*. 1J **7**
Spinney, The. *Purl* 5E **18**
Spitfire Rd. *Wall*. 2B **18**
Spooner Wlk. *Wall* 7B **12**
Spout Hill. *Croy* 7F **15**
Springbourne Ct. *Beck*. 3H **9**
(in two parts)
Spring Clo. La. *Sutt* 1A **16**
Springfield Av. *SW20*. 5A **4**
Springfield Ct. *Wall*. 7J **11**
Springfield Gdns. *W Wick*
. . . . 4G **15**
Springfield Rd. *SE26* 1A **8**

Springfield Rd. *SW19*. 1A **4**
Springfield Rd. *T Hth* 3F **7**
Springfield Rd. *Wall* 7J **11**
Spring Gdns. *Wall* 7K **11**
Spring Gro. *SE19* 2J **7**
Spring Gro. *Mitc* 3H **5**
Springhurst Clo. *Croy*. 6E **14**
Spring La. *SE25*. 1A **14**
Spring Park. 5F **15**
Spring Pk. Av. *Croy* 4C **14**
Springpark Dri. *Beck*. 5H **9**
Spring Pk. Rd. *Croy* 4C **14**
Springwood Ct. *S Croy* 6H **13**
(off Birdhurst Rd.)
Sprucedale Gdns. *Croy*. 6C **14**
Sprucedale Gdns. *Wall* 3B **18**
Spurgeon Av. *SE19* 3G **7**
Spurgeon Rd. *SE19* 3G **7**
Square, The. *Cars* 7H **11**
Squirrels Drey. *Brom* 4K **9**
(off Pk. Hill Rd.)
Stables M. *SE27*. 1F **7**
Stafford Clo. *Sutt*. 1A **16**
Stafford Cross Bus. Pk. *Croy*
. . . . 7C **12**
Stafford Gdns. *Croy* 7C **12**
Stafford Rd. *Cat*. 7K **25**
Stafford Rd. *Wall & Croy* . . . 1K **17**
Stagbury Av. *Coul*. 6F **23**
Stagbury Clo. *Coul* 6F **23**
Stagbury Ho. *Coul* 6F **23**
Stag Leys Clo. *Bans* 2E **22**
Stainbank Rd. *Mitc*. 5J **5**
Stambourne Way. *SE19* 2H **7**
Stambourne Way. *W Wick*
. . . . 4H **15**
Stane Clo. *SW19*. 2C **4**
Stanford Rd. *SW16*. 4A **6**
Stanford Way. *SW16* 4A **6**
Stanger Rd. *SE25*. 6K **7**
Stanhope Gro. *Beck* 7E **8**
Stanhope Rd. *Cars* 3H **17**
Stanhope Rd. *Croy*. 5H **13**
Stanley Av. *Beck* 4H **9**
Stanley Clo. *Coul* 4C **24**
Stanley Ct. *Cars* 2H **17**
Stanley Ct. *Sutt* 2C **16**
Stanley Gdns. *Mitc*. 1H **5**
Stanley Gdns. *S Croy* 6K **19**
Stanley Gdns. *Wall*. 1K **17**
Stanley Gro. *Croy*. 1D **12**
Stanley Pk. Rd. *Cars* 2G **17**
Stanley Rd. *SW19* 1B **4**
Stanley Rd. *Cars* 2H **17**
Stanley Rd. *Croy* 2D **12**
Stanley Rd. *Mitc* 2H **5**
Stanley Rd. *Mord* 6B **4**
Stanley Rd. *Sutt*. 1C **16**
Stanley Sq. *Cars* 3G **17**
Stanmore Gdns. *Sutt* 5D **10**
Stanmore Ter. *Beck*. 4F **9**
Stannet Way. *Wall* 6K **11**
Stansted Mnr. *Sutt* 1B **16**
Stanton Ct. *S Croy* 7H **13**
(off Birdhurst Ri.)
Stanton Rd. *Croy* 2F **13**
Staplehurst Rd. *Cars*. 2F **17**
Stapleton Gdns. *Croy*. 7D **12**
Starrock La. *Chips* 7G **23**
Starrock Rd. *Coul* 6J **23**
Station App. *SW16* 1A **6**
Station App. *Beck*. 3F **9**
Station App. *Belm* 4C **16**
Station App. *Cars*. 6G **11**
Station App. *Cheam*. 2A **16**
Station App. *Chips* 5G **23**
Station App. *Coul* 3A **24**
Station App. *Purl* 5D **18**
Station App. *S Croy* 3G **19**
Station App. *W Wick* 2H **15**
Station App. *Whyt* 4K **25**
Station App. Rd. *Coul*. 2A **24**
Station Est. *Beck* 5C **8**
Station Garage M. *SW16* . . . 1A **6**

Station Pde. *Chips* 5G **23**
Station Pde. *Sutt*. 1D **16**
(off High St.)
Station Rd. *SE20*. 1B **8**
Station Rd. *SE25*. 6J **7**
Station Rd. *SW19* 3D **4**
Station Rd. *Cars* 6G **11**
Station Rd. *Croy* 3F **13** (1B **28**)
Station Rd. *Kenl*. 1F **25**
Station Rd. *Short*. 4K **9**
Station Rd. *Sutt*. 4B **16**
Station Rd. *W Wick*. 3H **15**
Station Rd. *Whyt* 5J **25**
Station Yd. *Purl*. 6E **18**
Stavordale Rd. *Cars*. 2D **10**
Stayton Rd. *Sutt* 5B **10**
Steep Hill. *Croy* 6H **13**
Steers Mead. *Mitc* 3G **5**
Stella Rd. *SW17* 1G **5**
Stembridge Rd. *SE20*. 4A **8**
Stephenson Ct. *Cheam*. 2K **15**
(off Station App.)
Stevens Clo. *Beck* 1F **9**
Stevens Pl. *Purl*. 7E **18**
Steyning Clo. *Kenl* 3E **24**
Stirling Av. *Wall* 2B **18**
Stirling Clo. *SW16*. 3A **6**
Stirling Clo. *Bans*. 4A **22**
Stirling Way. *Croy* 2B **12**
Stites Hill Rd. *Coul*. 7E **24**
Stoats Nest Rd. *Coul* 1B **24**
Stoats Nest Village. *Coul* . . . 2B **24**
Stockbury Rd. *Croy*. 1B **14**
Stockham's Clo. *S Croy* 4G **19**
Stockport Rd. *SW16* 3A **6**
Stodart Rd. *SE20*. 3B **8**
Stokes Rd. *Croy*. 1C **14**
Stonecot Clo. *Sutt* 3A **10**
Stonecot Hill. *Sutt* 3A **10**
Stonecroft Way. *Croy* 2B **12**
Stoneleigh Pk. Av. *Croy* 1C **14**
Stoneleigh Rd. *Cars* 2F **11**
Stone Pk. Av. *Beck* 6F **9**
Stone St. *Croy* 7D **12**
Stoneyfield Rd. *Coul* 4C **24**
Stoney La. *SE19*. 1J **7**
Storrington Rd. *Croy* 3J **13**
Stowell Av. *New Ad* 4J **21**
Stratford Rd. *T Hth* 6D **6**
Strathbrook Rd. *SW16*. 2C **6**
Strathearn Rd. *Sutt* 7B **10**
Strathmore Rd. *Croy* 2G **13**
Strathyre Av. *SW16* 5D **6**
Stratton Av. *Wall* 3A **18**
Stratton Clo. *SW19* 4B **4**
Stratton Rd. *SW19*. 4B **4**
Strawberry La. *Cars*. 5H **11**
Streatham Common. 1B **6**
Streatham Comn. N. *SW16*. . 1B **6**
Streatham Comn. S. *SW16*. . 1B **6**
Streatham High Rd. *SW16*. . . 1B **6**
Streatham Ice Rink. 1A **6**
Streatham Rd. *Mitc & SW16*
. . . . 3H **5**
Streatham Vale. 2K **5**
Streatham Va. *SW16* 3K **5**
Streeters La. *Wall* 5A **12**
Stretton Rd. *Croy* 2H **13**
Stroud Grn. Gdns. *Croy* 2B **14**
Stroud Grn. Way. *Croy*. 2A **14**
Stroud Rd. *SE25* 1K **13**
Stuart Ct. *Croy*. 4A **28**
Stuart Cres. *Croy* 5E **14**
Stuart Pl. *Mitc*. 3G **5**
Stuart Rd. *T Hth* 6F **7**
Stuart Rd. *Warl* 7A **26**
Stubbs Way. *SW19* 3E **4**
Studland Rd. *SE26*. 1C **8**
Stumps Hill La. *Beck* 1F **9**
Stumps La. *Whyt* 4H **25**
Styles Way. *Beck* 6H **9**
Succombs Hill. *Warl* 7A **26**
Succombs Pl. *Warl* 6A **26**
Sudbury Gdns. *Croy* 6H **13**

Suffield Clo. *S Croy* 6C **20**
Suffield Rd. *SE20* 4B **8**
Suffolk Ho. *SE20* 3C **8**
　　　(off Croydon Rd.)
Suffolk Ho. *Croy* 3D **28**
Suffolk Rd. *SE25* 6J **7**
Sultan St. *Beck.* 4C **8**
Summerene Clo. *SW16* 2K **5**
Summerhill Way. *Mitc* 3H **5**
Summerlay Clo. *Tad.* 7A **22**
Summers Clo. *Sutt.* 2B **16**
Summerswood Clo. *Kenl* . . 3G **25**
Summerville Gdns. *Sutt* . . . 1A **16**
Summit Way. *SE19* 2H **7**
Sumner Gdns. *Croy* 3D **12**
Sumner Rd. *Croy* 3D **12**
Sumner Rd. S. *Croy* 3D **12**
Sundale Av. *S Croy* 4B **20**
Sundial Av. *SE25* 5J **7**
Sundown Av. *S Croy* 5J **19**
Sundridge Pl. *Croy* 3K **13**
Sundridge Rd. *Croy* 2J **13**
Sunken Rd. *Croy* 7B **14**
Sunkist Way. *Wall.* 3B **18**
Sunlight Clo. *SW19* 1D **4**
Sunniholme Ct. *S Croy* 7F **13**
　　　(off Warham Rd.)
Sunningdale Rd. *Sutt.* 5A **10**
Sunny Bank. *SE25* 5K **7**
Sunnybank. *Warl* 4D **26**
Sunnycroft Rd. *SE25* 5K **7**
Sunnydene Rd. *Purl* 7E **18**
Sunnyhurst Clo. *Sutt* 5B **10**
Sunnymead Av. *Mitc.* 5A **6**
Sunnymede Av. *Cars.* 5E **16**
Sunny Nook Gdns. *S Croy*
　　　. . . . . 1G **19**
Sunnyside Pas. *SW19* 1A **4**
Sunset Gdns. *SE25* 4J **7**
Sunshine Way. *Mitc.* 4G **5**
Surrey Gro. *Sutt.* 5E **10**
Surrey Rd. *W Wick.* 3G **15**
Surrey St. *Croy.* . . . 4F **13** (3B **28**)
Surridge Gdns. *SE19* 1G **7**
Sussex Rd. *Cars.* 1G **17**
Sussex Rd. *Mitc.* 7B **6**
Sussex Rd. *S Croy* 1G **19**
Sussex Rd. *W Wick* 3G **15**
Sussex Ter. *SE20* 2B **8**
　　　(off Graveney Gro.)
Sutherland Dri. *SW19.* 3E **4**
Sutherland Rd. *Croy.* 2D **12**
Sutton. 7C **10**
Sutton Arc. *Sutt.* 7C **10**
Sutton Clo. *Beck.* 3G **9**
Sutton Comn. Rd. *Sutt.* . . . 2A **10**
Sutton Ct. *SE19* 2J **7**
Sutton Ct. *Sutt.* 1D **16**
Sutton Ct. Rd. *Sutt.* 1D **16**
Sutton Gdns. *SE25* 7J **7**
SUTTON GENERAL HOSPITAL.
　　　. . . . . 4C **16**
Sutton Gro. *Sutt.* 6E **10**
Sutton Heights. *Sutt.* 2E **16**
Sutton La. *Sutt & Bans.* . . . 5C **16**
Sutton Pk. Rd. *Sutt.* 1C **16**
Sutton United F.C. 6B **10**
Swain Clo. *SW16* 1J **5**
Swain Rd. *T Hth.* 7F **7**
Swains Rd. *SW17* 2G **5**
Swallowdale. *S Croy.* 3C **20**
Swan Clo. *Croy.* 2H **13**
Swan, The. (Junct.). 3H **15**
Swift Ct. *Sutt.* 2C **16**
Swiftsden Way. *Brom.* 1K **9**
Swinburne Cres. *Croy.* 1B **14**
Sycamore Av. *Cars.* 6G **11**
Sycamore Clo. *S Croy* 7H **13**
Sycamore Gdns. *Mitc.* 4E **4**
Sycamore Gro. *SE20* 3K **7**
Sycamore Ho. *Short.* 4H **9**
Sycamore Way. *T Hth.* 7D **6**
Sydenham. 1B **8**
Sydenham Av. *SE26* 1A **8**

Sydenham Ct. *Croy* 1D **28**
Sydenham Rd. *Croy*
　　　. . . . . 3F **13** (2C **28**)
Sydney Av. *Purl* 6C **18**
Sydney Rd. *Sutt.* 6B **10**
Sylvan Clo. *S Croy* 4A **20**
Sylvan Est. *SE19* 3J **7**
Sylvan Hill. *SE19* 3H **7**
Sylvan Rd. *SE19.* 3J **7**
Sylvan Way. *W Wick.* 6K **15**
Sylverdale Rd. *Croy*
　　　. . . . . 5E **12** (4A **28**)
Sylverdale Rd. *Purl.* 7E **18**

T

Tabor Ct. *Sutt.* 1A **16**
Tabor Gdns. *Sutt* 1A **16**
Tabor Gro. *SW19* 2A **4**
Taffy's Row. *Mitc* 5F **5**
Tait Rd. *Croy* 2H **13**
Talbot Rd. *Cars* 7H **11**
Talbot Rd. *T Hth.* 6G **7**
Tall Elms Clo. *Brom* 7K **9**
Tall Trees. *SW16.* 5C **6**
Tamworth La. *Mitc.* 4J **5**
Tamworth Pk. *Mitc.* 6J **5**
Tamworth Pl. *Croy*
　　　. . . . . 4F **13** (3B **28**)
Tamworth Rd. *Croy*
　　　. . . . . 4E **12** (3A **28**)
Tamworth Vs. *Mitc.* 6J **5**
Tandem Cen. Retail Pk. *SW19*
　　　. . . . . 3E **4**
Tandem Way. *SW19* 3E **4**
Tandridge Gdns. *S Croy* . . . 7J **19**
Tandridge Rd. *Warl.* 6C **26**
Tanfield Rd. *Croy* . . 6F **13** (6B **28**)
Tangier Way. *Tad.* 5A **22**
Tangier Wood. *Tad.* 5A **22**
Tanglewood Clo. *Croy.* 5B **14**
Tankerton Ter. *Croy.* 1C **12**
Tankerville Rd. *SW16* 2A **6**
Tannery Clo. *Beck.* 7C **8**
Tannsfeld Rd. *SE26* 1C **8**
Tapestry Clo. *Sutt.* 2C **16**
Taplow Ct. *Mitc.* 6F **5**
Tara Ct. *Beck.* 4G **9**
Tarragon Gro. *SE26* 1C **8**
Tate Rd. *Sutt* 7B **10**
Tattenham Way. *Tad.* 4A **22**
Taunton Clo. *Sutt.* 3B **10**
Taunton La. *Coul.* 6D **24**
Tavern Clo. *Cars.* 2F **11**
Tavistock Cr. *Croy* 3G **13**
　　　(off Tavistock Rd.)
Tavistock Cres. *Mitc.* 6B **6**
Tavistock Ga. *Croy*
　　　. . . . . 3G **13** (1D **28**)
Tavistock Gro. *Croy* 2G **13**
Tavistock Rd. *Cars.* 3E **10**
Tavistock Rd. *Croy*
　　　. . . . . 3G **13** (1D **28**)
Tavistock Wlk. *Cars* 3E **10**
Taylor Ct. *SE20* 4B **8**
　　　(off Elmers End Rd.)
Taylor Rd. *Mitc.* 2F **5**
Taylor Rd. *Wall.* 7J **11**
Teal Clo. *S Croy* 5C **20**
Teal Pl. *Sutt.* 7A **10**
Teasel Clo. *Croy.* 3C **14**
Tedder Rd. *S Croy* 2B **20**
Teesdale Gdns. *SE25* 4H **7**
Teevan Clo. *Croy* 2K **13**
Teevan Rd. *Croy* 2K **13**
Telegraph Track. *Cars.* 5H **17**
Telford Clo. *SE19* 1J **7**
Temple Av. *Croy* 4E **14**
Templeman Clo. *Purl.* 3D **24**
Temple Rd. *Croy.* . . 6G **13** (6D **28**)
Templeton Clo. *SE19* 3G **7**
Temple Way. *Sutt.* 5E **10**
Tennison Clo. *Coul.* 7E **24**

Tennison Rd. *SE25* 6J **7**
Tennyson Rd. *SE20* 2C **8**
Tennyson Rd. *SW19.* 1D **4**
Tenterden Gdns. *Croy.* 2K **13**
Tenterden Rd. *Croy.* 2K **13**
Terrace Hill. *Croy* 5A **28**
Tewkesbury Rd. *Cars* 3E **10**
Teynham Ct. *Beck.* 5G **9**
Thanescroft Gdns. *Croy.* . . 5H **13**
Thanet Ho. *Croy.* 6C **28**
Thanet Pl. *Croy* . . . 6F **13** (6C **28**)
Tharp Rd. *Wall.* 7A **12**
Thayers Farm Rd. *Beck.* . . . 3D **8**
Theobald Rd. *Croy*
　　　. . . . . 4E **12** (2A **28**)
Therapia La. *Croy.* 2C **12**
　　　(in two parts)
Theresa's Wlk. *S Croy* 3G **19**
Thesiger Rd. *SE20* 2C **8**
Thicket Cres. *Sutt.* 6D **10**
Thicket Gro. *SE19* 2K **7**
Thicket Rd. *SE20* 2K **7**
Thicket Rd. *Sutt.* 6D **10**
Thirlmere Ri. *Brom.* 1K **9**
Thirsk Rd. *SE25.* 6G **7**
Thirsk Rd. *Mitc.* 2H **5**
Thistlewood Cres. *New Ad*
　　　. . . . . 6J **21**
Thomas Ho. *Sutt.* 2C **16**
Thomas Turner Path. *Croy.* . 3C **28**
Thomas Wall Clo. *Sutt.* . . . 7C **10**
Thompson Clo. *Sutt.* 3B **10**
Thomson Cres. *Croy.* 3D **12**
Thorburn Way. *SW19* 3E **4**
Thornbury Clo. *S Croy* 7E **28**
Thorncroft Clo. *Coul.* 6D **24**
Thorncroft Rd. *Sutt.* 7C **10**
Thorneloe Gdns. *Croy* 7D **12**
Thornes Clo. *Beck.* 5H **9**
Thornfield Rd. *Bans.* 4B **22**
Thornhill Rd. *Croy.* 2F **13**
Thornsett Rd. *SE20.* 4A **8**
Thornsett Rd. *SE20* 4A **8**
Thornsett Ter. *SE20* 4A **8**
　　　(off Croydon Rd.)
Thornton Av. *Croy* 1C **12**
Thornton Cres. *Coul.* 6D **24**
Thornton Dene. *Beck.* 4F **9**
Thornton Heath. 6F **7**
Thornton Heath Pond. (Junct.)
　　　. . . . . 7D **6**
Thornton Rd. *Cars.* 3E **10**
Thornton Rd. *Croy & T Hth*
　　　. . . . . 2C **12**
Thornton Row. *T Hth.* 7D **6**
Thornville Gro. *Mitc.* 4E **4**
Thorold Clo. *S Croy* 4C **20**
Thorpe Clo. *New Ad.* 5H **21**
Thrale Rd. *SW16* 1K **5**
Throwley Rd. *Sutt.* 7C **10**
Throwley Way. *Sutt.* 6C **10**
Thrupp Clo. *Mitc.* 4J **5**
Thursley Cres. *New Ad.* . . . 5H **21**
Tidenham Gdns. *Croy.* 5H **13**
Tideswell Rd. *Croy.* 5F **15**
Tiepigs La. *W Wick.* 4K **15**
Tierney Ct. *Croy.* 4H **13**
Tilford Av. *New Ad.* 3H **21**
Tilia Clo. *Sutt.* 7A **10**
Timberling Gdns. *S Croy* . . . 3G **19**
Timberslip Dri. *Wall.* 3A **18**
Timbers, The. *Sutt.* 1A **16**
Times Sq. *Sutt.* 7C **10**
Tindale Clo. *S Croy.* 5G **19**
Tinefields. *Tad.* 6A **22**
Tintern Clo. *SW19* 1D **4**
Tintern Rd. *Cars.* 3E **10**
Tipton Dri. *Croy.* 6H **13**
Tirlemont Rd. *S Croy* 2F **19**
Tirrell Rd. *Croy.* 1F **13**
Tisbury Rd. *SW16* 4B **6**
Titchfield Rd. *Cars.* 3E **10**
Titchfield Wlk. *Cars.* 2E **10**
Tithepit Shaw La. *Warl.* . . . 4A **26**

Tiverton Clo. *Croy.* 2J **13**
Tiverton Rd. *T Hth.* 7D **6**
Tivoli Rd. *SE27.* 1F **7**
Toll Bar Ct. *Sutt.* 3C **16**
Tollers La. *Coul.* 5C **24**
Tollhouse La. *Wall.* 3K **17**
Tonbridge Clo. *Bans.* 1G **23**
Tonfield Rd. *Sutt.* 3A **10**
Tonge Clo. *Beck.* 7F **9**
Tonstall Rd. *Mitc.* 4H **5**
Tony Law Ho. *SE20* 3A **8**
Tooting. 1F **5**
Tooting Graveney. 1G **5**
Tooting Gro. *SW17.* 1F **5**
Tooting High St. *SW17.* . . . 1F **5**
Tootswood Rd. *Brom.* 7K **9**
Top Pk. *Beck.* 7K **9**
Tormead Clo. *Sutt.* 1B **16**
Torre Wlk. *Cars* 3F **11**
Torridge Rd. *T Hth.* 7E **6**
Torrington Sq. *Croy.* 2G **13**
Torrington Way. *Mord.* 1B **10**
Torr Rd. *SE20* 2C **8**
Torwood La. *Whyt.* 7J **25**
Totton Rd. *T Hth.* 5D **6**
Tourist Info. Cen. . . 5F **13** (4C **28**)
Tovil Clo. *SE20.* 4A **8**
Tower Clo. *SE20* 2A **8**
Towers, The. *Kenl.* 2F **25**
Tower Vw. *Croy.* 3D **14**
Towpath Way. *SE25* 1J **13**
Tracery, The. *Bans.* 2C **22**
Trafalgar Rd. *SW19* 2C **4**
Trafalgar Way. *Croy.* 4D **12**
Trafford Rd. *T Hth.* 7C **6**
Tramsheds Ind. Est. *Croy.* . 2A **12**
Tramway Path. *Mitc.* 6F **5**
　　　(in three parts)
Tranmere Ct. *Sutt.* 2D **16**
Tredown Rd. *SE26.* 1B **8**
Treetops. *Whyt.* 5K **25**
Treeview Clo. *SE19* 3H **7**
Treloar Gdns. *SE19* 1G **7**
Tremaine Rd. *SE20* 4A **8**
Trenchard Ct. *Mord* 1B **10**
Trenham Dri. *Warl* 3B **26**
Trenholme Clo. *SE20* 2A **8**
Trenholme Rd. *SE20* 2A **8**
Trenholme Ter. *SE20* 2A **8**
Trent Ct. *S Croy* 7B **28**
Tresco Clo. *Brom.* 1K **9**
Trevelyan Rd. *SW17.* 1F **5**
Trevor Rd. *SW19.* 2A **4**
Trewsbury Rd. *SE26* 1C **8**
Trickett Ho. *Sutt.* 3C **16**
Trident Bus. Cen. *SW17.* . . 1G **5**
Trinity Clo. *S Croy* 3H **19**
Trinity Ct. *SE25* 1H **13**
Trinity Ct. *Croy.* . . . 4F **13** (2C **28**)
Trinity M. *SE20* 3A **8**
Trinity Rd. *SW19* 1B **4**
Tritton Av. *Croy* 6B **12**
Trojan Way. *Croy.* 5C **12**
Troy Rd. *SE19.* 1G **7**
Trumble Gdns. *T Hth.* 6E **6**
Tudor Clo. *Bans.* 2A **22**
Tudor Clo. *Coul.* 5D **24**
Tudor Clo. *S Croy.* 2A **26**
Tudor Clo. *Wall.* 2K **17**
Tudor Dri. *Mord.* 2A **10**
Tudor Gdns. *W Wick.* 5H **15**
Tudor Lodge Mans. *Kgswd*
　　　. . . . . 7A **22**
Tudor Pl. *SE19.* 2J **7**
Tudor Pl. *Mitc.* 2F **5**
Tudor Rd. *SE19* 2J **7**
Tudor Rd. *SE25.* 7A **8**
Tudor Rd. *Beck.* 5H **9**
Tugela Rd. *Croy.* 1G **13**
Tulip Clo. *Croy.* 3C **14**
Tulip Tree Ct. *Belm.* 5B **16**
Tull St. *Mitc.* 2G **11**
Tulse Clo. *Beck.* 5H **9**
Tumblewood Rd. *Bans.* . . . 3A **22**

Tummons Gdns. *SE25* 4H **7**
Tunstall Rd. *Croy* 3H **13**
Turkey Oak Clo. *SE19* 2H **7**
Turle Rd. *SW16* 4B **6**
Turner Av. *Mitc* 3G **5**
Turners Mdw. Way. *Beck* . . . 3E **8**
Turner's Way. *Croy* 4D **12**
Turnpike La. *Sutt* 7D **10**
Turnpike Link. *Croy* 4H **13**
Turnstone Clo. *S Croy* 4D **20**
Turpin Way. *Wall* 2J **17**
Tweeddale Rd. *Cars* 3E **10**
Twickenham Clo. *Croy* 5C **12**
Twin Bridges Bus. Pk. *S Croy*
. . . . 1G **19**
Twyford Rd. *Cars* 3E **10**
Tybenham Rd. *SW19* 5B **4**
Tydcombe Rd. *Warl* 6B **26**
Tylecroft Rd. *SW16* 4B **6**
Tylers Path. *Cars* 6G **11**
Tynemouth Rd. *Mitc* 2H **5**
Tyrell Ct. *Cars* 6G **11**
Tyrell Ho. Beck. *1G **9***
(off Beckenham Hill Rd.)
Tyrrell Sq. *Mitc* 3F **5**

U

Uckfield Gro. *Mitc* 2H **5**
Ullswater Clo. *Brom* 2K **9**
Ullswater Cres. *Coul* 3A **24**
Underwood. *New Ad* 7H **15**
Union Rd. *Croy* 2F **13**
Unity Clo. *SE19* 1F **7**
Unity Clo. *New Ad* 3G **21**
University Rd. *SW19* 1E **4**
Upchurch Clo. *SE20* 2A **8**
Upfield. *Croy* 5A **14**
Upland Rd. *S Croy* 7G **13**
Upland Rd. *Sutt* 2E **16**
Upland Rd. *Wold* 7F **27**
(in two parts)
Uplands. *Beck* 4F **9**
Uplands Rd. *Kenl* 3F **25**
Up. Beulah Hill. *SE19* 3H **7**
Upper Dunnymans. *Bans* . . 1A **22**
Upper Elmers End. 7E **8**
Up. Elmers End Rd. *Beck* . . . 6D **8**
Up. Green E. *Mitc* 5G **5**
Up. Green W. *Mitc* 4G **5**
(in two parts)
Upper Gro. *SE25* 6H **7**
Up. Mulgrave Rd. *Sutt* 2A **16**
Upper Norwood. 3H **7**
Up. Pillory Down. *Cars* 7H **17**
Upper Pines. *Bans* 4G **23**
Upper Rd. *Wall* 7A **12**
Up. Sawley Wood. *Bans* . . . 1A **22**
Up. Selsdon Rd. *S Croy* . . . 2J **19**
Upper Shirley. 6C **14**
Up. Shirley Rd. *Croy* 4B **14**
Up. Vernon Rd. *Sutt* 7E **10**
Up. Woodcote Village. *Purl*
. . . . 6A **18**
Upton Ct. *SE20* 2B **8**
Upton Dene. *Sutt* 2C **16**
Upton Rd. *T Hth* 4G **7**
Upwood Rd. *SW16* 3B **6**
Urquhart Ct. *Beck* 2E **8**
Uvedale Clo. *New Ad* 5J **21**
Uvedale Cres. *New Ad* 5J **21**

V

Valan Leas. *Brom* 5K **9**
Vale Border. *S Croy* 5C **20**
Vale Clo. *Coul* 1B **24**
Valentyne Clo. *New Ad* . . . 5K **21**
Valerie Ct. *Sutt* 2C **16**
Vale Rd. *Mitc* 5A **6**
Vale Rd. *Sutt* 6C **10**
Vale, The. *Coul* 1A **24**

Vale, The. *Croy* 4C **14**
Valley Gdns. *SW19* 2E **4**
Valley Rd. *SW16* 1C **6**
Valley Rd. *Brom* 4K **9**
Valley Rd. *Kenl* 2G **25**
Valley Vw. Gdns. *Kenl* 2H **25**
Valley Wlk. *Croy* 4B **14**
Vanguard Clo. *Croy*
. . . . 3E **12** (1A **28**)
Vanguard Way. *Wall* 2B **18**
Vant Rd. *SW17* 1G **5**
Varley Way. *Mitc* 4E **4**
Vauxhall Gdns. *S Croy* 1F **19**
Veals Mead. *Mitc* 3F **5**
Vectis Gdns. *SW17* 1J **5**
Vectis Rd. *SW17* 1J **5**
Vellum Dri. *Cars* 5H **11**
Venner Rd. *SE26* 1B **8**
Ventnor Rd. *Sutt* 2C **16**
Verdayne Av. *Croy* 3C **14**
Verdayne Gdns. *Warl* 3B **26**
Vermont Rd. *SE19* 1G **7**
Vermont Rd. *Sutt* 5C **10**
Vernon Rd. *Sutt* 7D **10**
Veronica Gdns. *SW16* 3K **5**
Versailles Rd. *SE20* 2K **7**
Verulam Av. *Purl* 6K **17**
Vicarage Ct. *Beck* 5D **8**
Vicarage Dri. *Beck* 3F **9**
Vicarage Gdns. *Mitc* 5F **5**
Vicarage Rd. *Croy* 5D **12**
Vicarage Rd. *Sutt* 6C **10**
Vicars Oak Rd. *SE19* 1H **7**
Viceroy Ct. *Croy* . . 3G **13** (1D **28**)
Vickers Clo. *Wall* 2C **18**
Victoria Av. *S Croy* 4F **19**
Victoria Av. *Wall* 5H **11**
Victoria Ct. *SE26* 1B **8**
Victoria Cres. *SE19* 1H **7**
Victoria Cres. *SW19* 2A **4**
Victoria Rd. *Coul* 2A **24**
Victoria Rd. *Mitc* 2F **5**
Victoria Rd. *Sutt* 7E **10**
Victor Rd. *SE20* 2C **8**
Victory Pl. *SE19* 2H **7**
Victory Rd. *SW19* 2D **4**
Victory Rd. M. *SW19* 2D **4**
Village Row. *Sutt* 2B **16**
Village Way. *Beck* 4F **9**
Village Way. *S Croy* 7K **19**
Villiers Rd. *Beck* 4C **8**
Vincent Av. *Cars* 5E **16**
Vincent Clo. *Coul* 7G **23**
Vincent Grn. *Coul* 7G **23**
Vincent Rd. *Coul* 3K **23**
Vincent Rd. *Croy* 2H **13**
Vine Clo. *Sutt* 5D **10**
Viney Bank. *Croy* 3E **20**
Violet Clo. *Wall* 3H **11**
Violet Gdns. *Croy* 7E **12**
Violet La. Croy
. . . . 1E **18** (7A **28**)
Virginia Rd. *T Hth* 3E **6**
Volta Way. *Croy* 3C **12**
Voss Ct. *SW16* 1B **6**
Vulcan Way. *New Ad.* 4K **21**

W

Waddington Av. *Coul* . . . 7D **24**
Waddington Clo. *Coul* 6E **24**
Waddington Way. *SE19* . . . 2F **7**
Waddon. 5D **12**
Waddon Clo. *Croy* 5D **12**
Waddon Ct. Rd. *Croy* 5D **12**
Waddon Marsh Way. *Croy*
. . . . 3C **12**
Waddon New Rd. *Croy*
. . . . 5E **12** (4A **28**)
Waddon Pk. Av. *Croy* 6D **12**
Waddon Rd. *Croy*
. . . . 5D **12** (4A **28**)

Waddon Way. *Croy* 1D **18**
Wadhurst Clo. *SE20* 4A **8**
Wagtail Gdns. *S Croy* 4D **20**
Wagtail Wlk. *Beck* 7H **9**
Wakefield Ct. *SE26* 1B **8**
Wakefield Gdns. *SE19* 2H **7**
Walburton Rd. *Purl* 7K **17**
Waldegrave Rd. *SE19* 2J **7**
Waldegrove. *Croy* 5J **13**
Walden Gdns. *T Hth* 5C **6**
Waldo Pl. *Mitc* 2F **5**
Waldorf Clo. *S Croy* 3E **18**
Waldron Gdns. *Brom* 5J **9**
Waldronhyrst. S Croy
. . . . 6E **12** (7A **28**)
Waldron's Path. S Croy
. . . . 6F **13** (7B **28**)
Waldrons, The. *Croy*
. . . . 6E **12** (7A **28**)
Wales Av. *Cars* 7F **11**
Waleton Acres. *Wall* 1K **17**
Wallace Cres. *Cars* 7G **11**
Wallington. 1K **17**
Wallington Corner. Wall. . . . *6J **11***
(off Manor Rd. N.)
Wallington Ct. *Wall.* 1J **17**
(off Stanley Pk. Rd.)
Wallington Green. (Junct.)
. . . . 6J **11**
Wallington Sq. *Wall* 1J **17**
Walnut Clo. *Cars* 7G **11**
Walnut M. *Sutt* 2D **16**
Walnut Tree Av. *Mitc* 5F **5**
Walpole Av. *Coul* 6G **23**
Walpole M. *SW19* 1E **4**
Walpole Rd. *SW19* 1E **4**
Walpole Rd. *Croy* . . 4G **13** (2D **28**)
Walsh Cres. *New Ad* 6K **21**
Walsingham Rd. *Mitc* 7G **5**
Walsingham Rd. *New Ad* . . 4H **21**
Walters Rd. *SE25* 6H **7**
Waltham Rd. *Cars* 2E **10**
Walton Av. *Sutt* 5A **10**
Walton Ct. S Croy *7F **13***
(off Warham Rd.)
Walton Grn. *New Ad.* 3G **21**
Walton Way. *Mitc* 6K **5**
Wandle Bank. *SW19* 2E **4**
Wandle Bank. *Croy* 5B **12**
Wandle Ct. *Croy* 5B **12**
Wandle Ct. Gdns. *Croy* . . . 5B **12**
Wandle Pk. Trad. Est., The.
Croy 3E **12**
Wandle Rd. *Bedd* 5B **12**
Wandle Rd. *Croy* . . 5F **13** (5C **28**)
Wandle Rd. *Mord.* 6D **4**
Wandle Rd. *Wall.* 5J **11**
Wandle Side. *Croy* 5C **12**
Wandle Side. *Wall.* 5J **11**
Wandle Way. *Mitc* 7G **5**
Wapses Lodge. *Wold* 7A **26**
Wapses Roundabout. (Junct.)
. . . . 7K **25**
Warbank Clo. *New Ad.* 4K **21**
Warbank Cres. *New Ad.* . . . 4K **21**
Ward Clo. *S Croy* 1H **19**
Ward La. *Warl* 3B **26**
Ward Rd. *SW19* 3D **4**
Ware Ct. *Sutt* 6A **10**
Warehouse Theatre.
. . . . 4G **13** (3E **28**)
Warham Rd. S Croy
. . . . 7E **12** (7C **28**)
Warlingham. 5C **26**
Warlingham Rd. *T Hth* 6E **6**
Warminster Gdns. *SE25* . . . 4K **7**
Warminster Rd. *SE25* 4J **7**
Warminster Sq. *SE25* 4K **7**
Warminster Way. *Mitc* 3J **5**
Warnham Ct. Rd. *Cars* 2G **17**
Warren Av. *Brom* 2K **9**
Warren Av. *S Croy* 2C **20**
Warren Av. *Sutt* 4A **16**
Warren Ct. *Beck* 2F **9**

Warren Ct. *Croy* 3H **13**
Warren Pk. *Warl* 5C **26**
Warren Pk. Rd. *Sutt* 1E **16**
Warren Rd. *SW19* 1F **5**
Warren Rd. *Bans* 1A **22**
Warren Rd. *Croy* 3H **13**
Warren Rd. *Purl* 6E **18**
Warren, The. *Cars* 3E **16**
Warrington Ct. *Croy* 5A **28**
Warrington Rd. *Croy*
. . . . 5E **12** (6A **28**)
Warwick Ct. *Brom* 4K **9**
Warwick Gdns. *T Hth* 5D **6**
Warwick Rd. *SE20* 5A **8**
Warwick Rd. *Coul* 1K **23**
Warwick Rd. *Sutt* 6D **10**
Warwick Rd. *T Hth* 5D **6**
Washpond La. *Warl* 5H **27**
Watcombe Pl. *SE25* 7A **8**
Watcombe Rd. *SE25* 7A **8**
Waterer Ri. *Wall.* 1A **18**
Waterfall Cotts. *SW19* 1E **4**
Waterfall Rd. *SW19* 1E **4**
Waterfall Ter. *SW17* 1F **5**
Waterfall Dri. *Warl* 6B **26**
Waterfield Gdns. *SE25* 6G **7**
Waterhouse La. *Kenl* 6F **25**
Waterhouse La. *Kgswd* . . . 7A **22**
Waterloo Pl. Cars. *5G **11***
(off Wrythe La.)
Waterloo Rd. *Sutt* 7E **10**
Watermead La. *Cars* 2G **11**
Watermill Way. *SW19* 3E **4**
Waterside. *Beck.* 3E **8**
Waterside Way. *SW17* 1D **4**
Water Tower Hill. *Croy*
. . . . 6G **13** (6E **28**)
Waterworks Yd. *Croy*
. . . . 5F **13** (4B **28**)
Watery La. *SW20.* 4A **4**
Wates Way. *Mitc* 1G **11**
Watlings Clo. *Croy* 1D **14**
Watney's Rd. *Mitc* 7A **6**
Watson Clo. *SW19* 1F **5**
Wattendon Rd. *Kenl* 3E **24**
Wavel Ct. *Croy* 7E **28**
Waverley Av. *Kenl* 3H **25**
Waverley Av. *Sutt* 4C **10**
Waverley Rd. *SE25* 6A **8**
Waverley Way. *Cars* 1F **17**
Waylands Mead. *Beck* 3G **9**
Waynflete Av. *Croy*
. . . . 5E **12** (5A **28**)
Wayside. *New Ad.* 1G **21**
Wealdstone Rd. *Sutt* 4A **10**
Weall Clo. *Purl.* 6C **18**
Weaver Clo. *Croy* 6J **13**
Wedgewood Ct. Brom *5K **9***
(off Cumberland Rd.)
Wedgwood Way. *SE19* 2F **7**
Weighton M. *SE20.* 4A **8**
Weighton Rd. *SE20* 4A **8**
Weihurst Ct. *Sutt* 7F **11**
Weihurst Gdns. *Sutt.* 7E **10**
Welbeck Rd. *Sutt* 4E **10**
Welbeck Wlk. *Cars* 3E **10**
Welcomes Rd. *Kenl* 5F **25**
Welcome Ter. *Whyt* 3J **25**
Welham Rd. *SW17 & SW16*
. . . . 1H **5**
Welhouse Rd. *Cars.* 3F **11**
Wellesford Clo. *Bans* 4A **22**
Wellesley Ct. *Sutt.* 3A **10**
Wellesley Ct. Rd. *Croy*
. . . . 4G **13** (3D **28**)
Wellesley. Gro. Croy
. . . . 4G **13** (3D **28**)
Wellesley Lodge. Sutt. *2B **16***
(off Worcester Rd.)
Wellesley Pas. *Croy*
. . . . 4F **13** (2C **28**)
Wellesley Rd. *Croy*
. . . . 3F **13** (1C **28**)

Wellesley Rd.—Woodmansterne La.

Wellesley Rd. *Sutt* 1D **16**
Well Farm Rd. *Warl* 6K **25**
Wellfield Gdns. *Cars* 3F **17**
Wellhouse Rd. *Beck* 6F **9**
Wellington Dri. *Purl* 4C **18**
Wellington Rd. *Croy* 2E **12**
Wellow Wlk. *Cars* 3E **10**
Wells Clo. *S Croy* 7H **13**
Wellwood Clo. *Coul* 1B **24**
Wenderholme. S Croy 7G 13 (off S. Park Hill Rd.)
Wendling Rd. *Sutt* 3E **10**
Wend, The. *Coul* 1A **24**
Wentworth Clo. *Mord* 2B **10**
Wentworth Rd. *Croy* 2D **12**
Wentworth Way. *S Croy* 1K **25**
Werndee Rd. *SE25* 6K **7**
Wessex Av. *SW19* 5B **4**
Wessex Ct. *Beck* 3D **8**
West Av. *Wall* 7B **12**
Westbourne Rd. *SE26* 1C **8**
Westbourne Rd. *Croy* 1J **13**
Westbrook Rd. *T Hth* 3G **7**
Westbury Clo. *Whyt* 5J **25**
Westbury Rd. *SE20* 3C **8**
Westbury Rd. *Beck* 5D **8**
Westbury Rd. *Croy* 1G **13**
Westcombe Av. *Croy* 2B **12**
Westcote Rd. *SW16* 1K **5**
Westcott Clo. *New Ad* 3G **21**
Westcroft Gdns. *Mord* 5A **4**
Westcroft Rd. *Cars* 6H **11**
West Dri. *Cars* 4E **16**
West Dri. *Sutt* 3A **16**
Westerham Clo. *Sutt* 4B **16**
Westerham Lodge. Beck 2F 9 (off Park Rd.)
Western Rd. *SW19 & Mitc* 3E **4**
Western Rd. *Sutt* 7B **10**
Westfield Av. *S Croy* 7G **19**
Westfield Clo. *Sutt* 6A **10**
Westfield Rd. *Beck* 4E **8**
Westfield Rd. *Croy* 4E **12** (2A **28**)
Westfield Rd. *Mitc* 4F **5**
Westfield Rd. *Sutt* 6A **10**
West Gdns. *SW17* 1F **5**
Westgate Rd. *SE25* 6A **8**
Westgate Rd. *Beck* 4G **9**
Westhall Pk. *Warl* 6B **26**
Westhall Rd. *Warl* 5K **25**
West Hill. *S Croy* 4H **19**
Westland Dri. *Brom* 4K **15**
Westleigh Av. *Coul* 3H **23**
Westleigh Ct. S Croy 6H 13 (off Birdhurst Rd.)
Westmead Corner. *Cars* 6F **11**
Westmead Rd. *Sutt* 6E **10**
Westminster Av. *T Hth* 4E **6**
Westminster Rd. *Sutt* 4E **10**
Westmoat Clo. *Beck* 2H **9**
Westmoreland Dri. *Sutt* 2C **16**
Westmoreland Rd. *Brom* 7K **9**
Westmorland Sq. Mitc 7B 6 (off Westmorland Way)
Westmorland Ter. *SE20* 2A **8**
Westmorland Way. *Mitc* 6A **6**
West Oak. *Beck* 3J **9**
Weston Clo. *Coul* 7C **24**
Westover Clo. *Sutt* 3C **16**
Westow Hill. *SE19* 1H **7**
Westow St. *SE19* 1H **7**
West St. *Cars* 5G **11**
West St. *Croy* 6F **13** (6C **28**)
West St. *Sutt* 7C **10**
West St. La. *Cars* 6G **11** (in two parts)
W. Street Pl. *Croy* 6C **28**
W. View Av. *Whyt* 5J **25**
W. View Rd. *Warl* 6A **26**
West Way. *Cars* 4E **16**
West Way. *Croy* 4D **14**
West Way. *W Wick* 1J **15**
W. Way Gdns. *Croy* 4C **14**
Westwell M. *SW16* 1B **6**
Westwell Rd. *SW16* 1B **6**
Westwell Rd. App. *SW16* 1B **6**
West Wickham. 3H 15
Westwood Av. *SE19* 3F **7**
Westwood Rd. *Coul* 5A **24**
Wettern Clo. *S Croy* 4H **19**
Weybourne Pl. *S Croy* 4G **19**
Weybridge Rd. *T Hth* 6D **6**
Weymouth Ct. *Sutt* 2B **16**
Wharfedale Gdns. *T Hth* 6C **6**
Wharncliffe Gdns. *SE25* 4H **7**
Wharncliffe Rd. *SE25* 4H **7**
Whateley Rd. *SE20* 2C **8**
Whatley Av. *SW20* 4A **4**
Wheathill Rd. *SE20* 5A **8**
Wheat Knoll. *Kenl* 3F **25**
Wheatstone Clo. *Mitc* 3F **5**
Whelan Way. *Wall* 5A **12**
Whimbrel Clo. *S Croy* 5G **19**
Whitby Gdns. *Sutt* 4E **10**
Whitby Rd. *Sutt* 4E **10**
White Bri. Av. *Mitc* 5E **4**
Whitecroft Clo. *Beck* 6J **9**
Whitecroft Way. *Beck* 7H **9**
Whitefield Av. *Purl* 3D **24**
Whitegates. *Whyt* 6K **25**
Whitehall Pl. *Wall* 6J **11**
Whitehall Rd. *T Hth* 7D **6**
White Hill. *S Croy* 4G **19**
Whitehorse La. *SE25* 6G **7**
Whitehorse Rd. *Croy & T Hth* 2F **13**
Whiteknights. *Cars* 5E **16**
Whiteley Rd. *SE19* 1G **7**
White Lodge. *SE19* 2E **6**
White Lodge Clo. *Sutt* 2D **16**
White Oak Dri. *Beck* 4H **9**
Whiteoaks. *Bans* 7C **16**
Whitethorn Av. *Coul* 2H **23**
Whitethorn Gdns. *Croy* 4A **14**
Whitford Gdns. *Mitc* 5G **5**
Whitgift Av. *S Croy* 7E **12**
Whitgift Cen. *Croy* 4F **13** (2C **28**)
Whitgift Ct. S Croy 7F 13 (off Nottingham Rd.)
Whitgift Sq. *Croy* 4F **13** (3C **28**)
Whitgift St. *Croy* 5F **13** (5B **28**)
Whitland Rd. *Cars* 3E **10**
Whitmead Clo. *S Croy* 1H **19**
Whitmore Rd. *Beck* 5E **8**
Whitstable Clo. *Beck* 3E **8**
Whitstable Pl. *Croy* 6F **13** (7C **28**)
Whittaker Rd. *Sutt* 5A **10**
Whittlebury Clo. *Cars* 2G **17**
Whitworth Rd. *SE25* 5H **7**
Whyteacre. *Whyt* 7A **26**
Whytebeam Vw. *Whyt* 5J **25**
Whytecliffe Rd. N. *Purl* 5E **18**
Whytecliffe Rd. S. *Purl* 5D **18**
Whyteleafe. 5J 25
Whyteleafe Bus. Village. *Whyt* 4J **25**
Whyteleafe Hill. *Whyt* 7H **25** (in two parts)
Whyteleafe Rd. *Cat* 7H **25**
Wicket, The. *Croy* 7F **15**
Wickham Av. *Croy* 4D **14**
Wickham Chase. *W Wick* 3J **15**
Wickham Ct. Rd. *W Wick* 4H **15**
Wickham Cres. *W Wick* 4H **15**
Wickham Rd. *Beck* 4G **9**
Wickham Rd. *Croy* 4B **14**
Wickham Way. *Beck* 6H **9**
Wide Way. *Mitc* 5A **6**
Wigmore Rd. *Cars* 4E **10**
Wigmore Wlk. *Cars* 4E **10**
Wilbury Av. *Sutt* 4A **16**
Wilcox Rd. *Sutt* 6C **10**
Wildwood Ct. *Kenl* 2G **25**
Wilfred Owen Clo. *SW19* 1D **4**
Wilhelmina Av. *Coul* 6K **23**
Wilkins Clo. *Mitc* 3F **5**
Wilks Gdns. *Croy* 3D **14**
Willett Pl. *T Hth* 7D **6**
Willett Rd. *T Hth* 7D **6**
William Booth Rd. *SE20* 3K **7**
William Rd. *SW19* 2A **4**
William Rd. *Sutt* 7D **10**
Williams La. *Mord* 7D **4**
Williams Ter. *Croy* 1D **18**
William St. *Cars* 5F **11**
Willis Av. *Sutt* 1F **17**
Willis Ct. *T Hth* 1D **12**
Willis Rd. *Croy* 2F **13**
Will Miles Ct. *SW19* 2D **4**
Willmore End. *SW19* 3C **4**
Willoughby Av. *Croy* 6C **12**
Willowbank. *Coul* 1B **24**
Willowbank Pl. *S Croy* 3E **18**
Willow Bus. Cen., The. *Mitc* 1G **11**
Willow Ho. *Short* 4K **9**
Willow La. *Mitc* 7G **5**
Willow Mt. *Croy* 5H **13**
Willow Rd. *Wall* 2J **17**
Willows Av. *Mord* 7C **4**
Willows, The. *Beck* 3F **9**
Willowtree Way. *T Hth* 3D **6**
Willow Vw. *SW19* 3E **4**
Willow Wlk. *Sutt* 5A **10**
Willow Wood Cres. *SE25* 1H **13**
Wilmar Gdns. *W Wick* 3G **15**
Wilmington Ct. *SW16* 2B **6**
Wilmot Cotts. *Bans* 2C **22**
Wilmot Rd. *Cars* 7G **11**
Wilmot Rd. *Purl* 6D **18**
Wilmot Way. *Bans* 1B **22**
Wilson Av. *Mitc* 3F **5**
Wilson Clo. *S Croy* 7G **13**
Wilton Cres. *SW19* 2A **4**
Wilton Gro. *SW19* 3A **4**
Wilton Ho. *S Croy* 7B **28**
Wilton Rd. *SW19* 2F **5**
Wiltshire Ct. *S Croy* 7F **13**
Wiltshire Rd. *T Hth* 5D **6**
Wimbledon. 1A 4
Wimbledon Bri. *SW19* 1A **4**
Wimbledon F.C. (Selhurst Pk.) 6H 7
Wimbledon Hill Rd. *SW19* 1A **4**
Wimborne Way. *Beck* 5C **8**
Wimshurst Clo. *Croy* 3B **12**
Winchcombe Rd. *Cars* 2E **10**
Winchelsey Ri. *S Croy* 1J **19**
Winchester Clo. *Brom* 5K **9**
Winchester Pk. *Brom* 5K **9**
Winchester Rd. *Brom* 5K **9**
Winchet Wlk. *Croy* 1B **14**
Windall Clo. *SE19* 3K **7**
Windborough Rd. *Cars* 2H **17**
Windermere Av. *SW19* 5C **4**
Windermere Ct. *Cars* 5H **11**
Windermere Ct. *Kenl* 2E **24**
Windermere Rd. *SW16* 3K **5**
Windermere Rd. *Coul* 2B **24**
Windermere Rd. *Croy* 3J **13**
Windermere Rd. *W Wick* 4K **15**
Windham Av. *New Ad* 4J **21**
Windings, The. *S Croy* 5J **19**
Windmill Bridge Ho. Croy 3H 13 (off Freemasons Rd.)
Windmill Gro. *Croy* 1F **13**
Windmill Rd. *Croy* 2F **13**
Windmill Rd. *Mitc* 7K **5**
Windsor Av. *SW19* 3D **4**
Windsor Av. *Sutt* 5A **10**
Windsor Ct. *Whyt* 5J **25**
Windsor Gdns. *Croy* 5B **12**
Windsor Rd. *T Hth* 4E **6**
Windycroft Clo. *Purl* 7A **18**
Wingate Cres. *Croy* 1B **12**
Wingfield Ct. *Bans* 2B **22**
Wings Clo. *Sutt* 6B **10**
Winifred Rd. *SW19* 3B **4**
Winifred Rd. *Coul* 3H **23**
Winkworth Pl. *Bans* 1A **22**
Winkworth Rd. *Bans* 1B **22**
Winterbourne Rd. *T Hth* 6D **6**
Winterton Ct. *SE20* 4K **7**
Winton Way. *SW16* 1D **6**
Wisbeach Rd. *Croy* 7G **7**
Wisborough Rd. *S Croy* 3J **19**
Wisley Ct. *S Croy* 4G **19**
Witham Rd. *SE20* 5B **8**
Witherby Clo. *Croy* 7H **13**
Witley Cres. *New Ad* 1H **21**
Wiverton Rd. *SE26* 1B **8**
Woburn Av. *Purl* 5D **18**
Woburn Clo. *SW19* 1D **4**
Woburn Ct. *Croy* 3F **13**
Woburn Rd. *Cars* 3F **11**
Woburn Rd. *Croy* 3F **13** (1C **28**)
Woldingham Garden Village. 7D 26
Woldingham Rd. *Wold* 7A **26**
Wolseley Rd. *Mitc* 2H **11**
Wolsey Cres. *Mord* 2A **10**
Wolsey Cres. *New Ad* 3H **21**
Wontford Rd. *Purl* 2D **24**
Woodbastwick Rd. *SE26* 1C **8**
Woodbine Gro. *SE20* 2A **8**
Woodbourne Gdns. *Wall* 2J **17**
Woodbury Clo. *Croy* 4J **13**
Woodbury Dri. *Sutt* 4D **16**
Woodbury St. *SW17* 1F **5**
Woodcote 6A 18
Woodcote Av. *T Hth* 6E **6**
Woodcote Av. *Wall* 3J **17**
Woodcote Ct. *Sutt* 1B **16**
Woodcote Dri. *Purl* 4A **18**
Woodcote Green. 3K 17
Woodcote Grn. *Wall* 3K **17**
Woodcote Gro. *Cars* 6J **17**
Woodcote Gro. Rd. *Coul* 2A **24**
Woodcote La. *Purl* 5A **18**
Woodcote M. *Wall* 1J **17**
Woodcote Pk. Av. *Purl* 6K **17**
Woodcote Rd. *Wall* 1J **17**
Woodcote Valley Rd. *Purl* 7A **18**
Wood Crest. Sutt 2D 16 (off Christchurch Pk.)
Woodcrest Rd. *Purl* 7B **18**
Woodcroft Rd. *T Hth* 7E **6**
Woodend. *SE19* 1F **7**
Woodend. *Sutt* 4D **10**
Woodend, The. *Wall* 3J **17**
Wooderson Clo. *SE25* 6H **7**
Woodfield Av. *Cars* 1H **17**
Woodfield Clo. *SE19* 2F **7**
Woodfield Clo. *Coul* 6K **23**
Woodfield Hill. *Coul* 6J **23**
Woodfields, The. *S Croy* 5J **19**
Woodgate Dri. *SW16* 2A **6**
Woodgavil. *Bans* 3A **22**
Woodhatch Spinney. *Coul* 3B **24**
Woodhyrst Gdns. *Kenl* 2E **24**
Woodland Clo. *SE19* 1H **7**
Woodland Gdns. *S Croy* 5B **20**
Woodland Hill. *SE19* 1H **7**
Woodland Rd. *SE19* 1H **7**
Woodland Rd. *T Hth* 6D **6**
Woodlands. *Brom* 6K **9**
Woodlands Ct. *Brom* 3K **9**
Woodlands Gro. *Coul* 4H **23**
Woodlands, The. *SE19* 2F **7**
Woodlands, The. *Wall* 3J **17**
Woodland Way. *Croy* 3D **14**
Woodland Way. *Mitc* 2H **5**
Woodland Way. *Mord* 6A **4**
Woodland Way. *Purl* 7D **18**
Woodland Way. *W Wick* 6G **15**
Wood La. *Tad* 4A **22**
Woodlea Dri. *Brom* 7K **9**
Woodley Clo. *SW17* 2G **5**
Woodley La. *Cars* 5F **11**
Wood Lodge La. *W Wick* 5H **15**
Woodman Rd. *Coul* 2K **23**
Woodmansterne. 2G 23
Woodmansterne La. *Bans* 2C **22**

Woodmansterne La. *Cars* 6G **17**
Woodmansterne Rd. *SW16*
. . . . 2K **5**
Woodmansterne Rd. *Cars* 6G **17**
Woodmansterne Rd. *Coul* . . . 2K **23**
Woodmansterne St. *Bans* 2F **23**
Woodmere Av. *Croy* 2B **14**
Woodmere Clo. *Croy* 2C **14**
Woodmere Gdns. *Croy* 2C **14**
Woodmere Way. *Beck* 7J **9**
Woodpecker Mt. *Croy* 3D **20**
Woodplace Clo. *Coul* 6K **23**
Woodplace La. *Coul* 5K **23**
Woodside 1K **13**
Woodside. *SW19* 1A **4**
Woodside Av. *SE25* 1A **14**
Woodside Ct. Rd. *Croy* 2K **13**
Woodside Grn. *SE25* 1K **13**
(in two parts)
Woodside Pk. *SE25* 1A **14**
Woodside Rd. *SE25* 1A **14**
Woodside Rd. *Purl* 7A **18**
Woodside Rd. *Sutt* 5D **10**
Woodside Way. *Croy* 1B **14**
Woodside Way. *Mitc* 3J **5**
Woodstock Av. *Sutt* 2A **10**
Woodstock Gdns. *Beck* 3G **9**
Woodstock Ri. *Sutt* 2A **10**
Woodstock Rd. *Cars* 7H **11**

Woodstock Rd. *Coul* 3J **23**
Woodstock Rd. *Croy*
. . . . 5G **13** (5D **28**)
Woodstock, The. (Junct.) . . 2A **10**
Woodstock Way. *Mitc* 4J **5**
Wood St. *Mitc* 2H **11**
Woodvale Av. *SE25* 5J **7**
Woodview Clo. *S Croy* 1A **26**
Woodville Ct. *SE19* 3J **7**
Woodville Rd. *Mord* 6B **4**
Woodville Rd. *T Hth* 6F **7**
Worbeck Rd. *SE20* 4A **8**
Worcester Clo. *Croy* 4F **15**
Worcester Clo. *Mitc* 4H **5**
Worcester Rd. *SW19* 1A **4**
Worcester Rd. *Sutt* 2B **16**
Wordsworth Av. *Kenl* 2G **25**
Wordsworth Rd. *SE20* 2C **8**
Wordsworth Rd. *Wall* 1K **17**
Worple Rd. *SW20 & SW19* . . 2A **4**
Worple Rd. M. *SW19* 1A **4**
Worsley Bri. Rd. *SE26 & Beck*
. . . . 1F **9**
Worthington Rd. *Mitc* 6J **5**
Wortley Rd. *Croy* 2D **12**
Wrangthorn Wlk. *Croy* 6D **12**
Wray Rd. *Sutt* 3A **16**
Wren Clo. *S Croy* 3C **20**
Wren Ct. *Croy* 6E **28**

Wrights Rd. *SE25* 5H **7**
Wrights Row. *Wall* 6J **11**
Wrotham Ho. *Beck* 2E **8**
(off Sellindge Clo.)
Wrythe Grn. *Cars* 5G **11**
Wrythe Grn. Rd. *Cars* 5G **11**
Wrythe La. *Cars* 3D **10**
Wrythe, The. 5G **11**
Wyche Gro. *S Croy* 2G **19**
Wychwood Av. *T Hth* 5F **7**
Wychwood Way. *SE19* 1G **7**
Wycliffe Rd. *SW19* 1C **4**
Wydehurst Rd. *Croy* 2K **13**
Wynash Gdns. *Cars* 7F **11**
Wyncote Way. *S Croy* 3C **20**
Wyndham Clo. *Sutt* 2B **16**
Wynton Gdns. *SE25* 7J **7**
Wyvern Rd. *Purl* 4E **18**

Y

Yarborough Rd. *SW19* 3E **4**
Yarbridge Clo. *Sutt* 4C **16**
Yateley Ct. *Kenl* 1F **25**
Ye Market. *S Croy* 7G **13**
(off Selsdon Dri.)
Yenston Clo. *Mord* 1B **10**
Yewbank Clo. *Kenl* 2G **25**

Yewdale Clo. *Brom* 1K **9**
Yewlands Clo. *Bans* 2D **22**
Yew Tree Clo. *Coul* 6G **23**
Yew Tree Ct. *Sutt* 2D **16**
(off Walnut M.)
Yewtree Rd. *Beck* 5E **8**
Yew Tree Wlk. *Purl* 4F **19**
Yew Tree Way. *Croy* 4D **20**
(in four parts)
York Clo. *Mord* 6C **4**
York Rd. *SW19* 1D **4**
York Rd. *Croy* 2D **12**
York Rd. *S Croy* 4C **20**
York Rd. *Sutt* 1B **16**
Yorkshire Rd. *Mitc* 7B **6**
York St. *Mitc* 2H **11**

Z

Zermatt Rd. *T Hth* 6F **7**
Zig Zag Rd. *Kenl* 3F **25**
Zion Pl. *T Hth* 6G **7**
Zion Rd. *T Hth* 6G **7**